GOLDMANNS WELTRAUM TASCHENBÜCHER

Band 0149

—

Howard Berk · Das Zeichen der Lemminge

HOWARD BERK

Das Zeichen der Lemminge

THE SUN GROWS COLD

Utopisch-technischer Roman

WILHELM GOLDMANN VERLAG
MÜNCHEN

Ungekürzte Ausgabe · Made in Germany

© 1971 by Howard Berk. Aus dem Englischen übertragen von Tony Wester-
mayr. Herausgegeben unter wissenschaftlicher Beratung von Dr. Herbert
W. Franke. Alle Rechte, auch die der fotomechanischen Wiedergabe, vor-
behalten. Jeder Nachdruck bedarf der Genehmigung des Verlages. Umschlag-
entwurf von Eyke Volkmer. Gesetzt aus der Linotype-Garamond-Antiqua.
Druck: Presse-Druck Augsburg. WTB 0149 · Sch/St
ISBN 3-442-23149-3

Es war ein großer Warteraum mit Bänken an den Wänden, die Wände selbst waren in warmem, beruhigendem Grün. Die neuen Patienten, an die achtzehn oder zwanzig, waren trotzdem wie nach einem schrecklichen Sturm im Raum verstreut. In unterschiedlichen Entsetzenstönen äffte einer des anderen Hysterie nach. Eine Frau kreischte unablässig, die in ihrer nächsten Nähe ahmten den Laut nach. Ihre Stimmen erhoben sich zu gellendem Krescendo, sanken zu wimmernder Erschöpfung herab, begannen von neuem. Ein sehr großer Mann stieg trotz des Zugriffs eines Pflegers immer wieder auf die Bank vor ihm, brüllte aus vollem Hals an die leere Wand, stieg wieder hinunter. Mehrere weinten bitterlich; ein von Schluchzen geschüttelter Mann saß mit gekreuzten Beinen auf dem Boden. Neben ihm lag ein alter Mann auf dem Rücken und bewegte lautlos Arme und Beine. Eine Frau, rot vor Zorn, stach mit einem knochigen Finger zur Decke und stammelte unzusammenhängende Worte. Und eine Gruppe, zusammengedrängt in einer Ecke, beobachtete die anderen und bog sich in wildem Lachen, ein griechischer Chor, nicht weniger passend im Wahn.

Korman hatte das alles schon oft miterlebt. Er lehnte sich an die Tür, von neuem entsetzt. Eine gutaussehende Frau Anfang Dreißig stand in der Nähe; ihre Hände glitten wollüstig über ihren Körper, und ihre Augen öffneten und schlossen sich in ekstatischen Krämpfen. Ihr leises Stöhnen zerfetzte sein Bemühen um Distanz. Unbewußt stöhnte er mit und flüsterte: »Mein Gott.«

Die Frau wandte sich ihm zu und ächzte erregt, obwohl sie Korman zuvor noch nie gesehen hatte. Sie bog sich lockend zurück und riß plötzlich ihre weiße Tunika vom Hals bis zu den Hüften auf. Darunter trug sie nichts. Sie preßte sich an Korman, rieb ihren Körper an dem seinen, ihre Hände legten sich um seinen Hals. Ein Pfleger kam hinzu und löste sie sanft von ihm.

»Verzeihung, Doktor«, sagte er. Die Frau wehrte sich in

seinen Armen; ihre Augen füllten sich mit Tränen, und sie hob flehend die Arme.

»Ja!« schrie sie Korman zu und begann damit, sich die Tunika ganz herunterzureißen, als der Pfleger sie fortzerrte.

Und nun sah, wie auf ein geheimes Zeichen hin, eine Anzahl von Patienten zu. Ein eigenartiger Instinkt richtete sich auf Korman, so als bringe er Erlösung aus ihrer Qual, und während diese Bewußtseinsströmung durch die Gruppe lief, löste sich die Anarchie in eine seltsame, allgemeine Verwirrung auf.

Ganz plötzlich war es still im Saal. Die Pfleger schauten sich unsicher um, aber bei Korman machte sich ein undeutlich vertrautes Erstaunen bemerkbar. Dies war schon einmal vorgekommen, zu Beginn des Programms – dieselbe kindliche Treuherzigkeit, die gleichen, von irrer Hoffnung geweiteten Augen, so als habe jeder einzelne von ihnen in seiner Gegenwart dieselbe Botschaft erhalten.

Es war ein hagerer, älterer Mann, bislang in einen Kokon hypnotisierten Schweigens eingehüllt, der den Bann brach. Er stieß einen gräßlichen tierischen Schrei aus und stürzte sich durch den Raum. Ein Dutzend Schreie antworteten, und die Patienten stürmten auf Korman zu. Dabei hatte ihr Verhalten nichts Feindseliges an sich. Der ältere Mann hatte sich vor Kormans Füßen auf den Boden geworfen und Kormans Knöchel mit den Armen umklammert, während die anderen sich in nicht weniger rührendem Flehen um ihn scharten.

»Es wird alles gut werden, bestimmt«, sagte Korman. Die Worte strömten in einer jovialen, sprudelnden Art aus ihm heraus, die er kaum erkannte. Das Durcheinander war deutlich traumartig, Pfleger und Patienten ununterscheidbar im Wirrwarr, während er sich durch das Gedränge zu schieben versuchte. »Wir kümmern uns um euch. Es wird alles getan. Ihr habt es bestimmt gut –«

Die Tür schloß sich hinter ihm, das gequälte Jammern war wie abgeschnitten, und er wankte den Korridor zu seinem Büro hinunter.

Anne warf einen Blick auf sein Gesicht und füllte einen Becher mit dampfendem Kaffee.

»Ich bin ein Feigling. Ich bin durch den Hintereingang hereingekommen«, gestand sie.

Korman sank in den Sessel hinter seinem Schreibtisch.

»Immer nur einer, da kommt man zurecht – aber in der Masse – in der Masse«, sagte er bleiern, brach ab und starrte ins Leere. »Was hat es für einen Zweck, sich etwas vorzumachen? Wir holen nie auf.« Er schlürfte den Kaffee.

Anne, eine sehr hübsche Fünfundzwanzigerin mit dunklem Haar und wehmütigem Lächeln, betastete die Insignien am Aufschlag ihres weißen Kittels.

»Aber ja doch«, sagte sie. »Also. Wie war das Wochenende?«

»Ach was. Ich weiß nicht.« Er winkte ungeduldig ab und stieß hervor: »Schuldbeladen. Was, zum Teufel, sonst?«

Anne lächelte listig.

»Los, Doktor, der Schwester dürfen Sie es schon sagen. Ich habe von der Grüngürtel-E.u.R. gehört. Was haben Sie gemacht?«

»Nicht viel. Getrunken. Gelesen.«

»Und das ist alles?«

»Woran denken Sie noch?«

»Ich warte auf den Bericht über Ihre sexuellen Begegnungen«, sagte Anne.

Ihr Drängen zwang ihm ein Grinsen ab. Er ließ sich Zeit, während er ein paar Schluck Kaffee trank und langsam den Schal abnahm.

»Sexuelle Begegnungen?«

»Sie sind für solche Fälle nicht ohne Ausrüstung, Doktor«, meinte Anne trocken.

»Wie schmeichelhaft. Ich fühle mich nicht mehr so müde und alt, wenn Sie mich beschuldigen, ein Potenzbrocken zu sein.«

Er berührte die dicke Akte mit neuen Krankengeschichten auf dem Schreibtisch. Annes Hand hielt die seine zurück.

»Lassen Sie sich noch ein paar Minuten Zeit.«

»Verdammt – ich muß anfangen.« Er machte eine Pause, beinahe nervös. »Hören Sie, Anne – angenommen, ich steige aus diesem gottverdammten Programm aus. Ich könnte bei ›Versuch‹ genauso nützlich sein.«

Nach einer langen Pause sagte Anne leise: »Es gäbe kein Programm mehr.«

»Aha gut, dann gäbe es eben kein Programm mehr!« fuhr Korman auf. »Was, zum Teufel, soll ich eigentlich sein? Der Bewahrer der heiligen Flamme?«

»Sie verschütten Ihren Kaffee.«

»So ist es doch!« schrie Korman. Er deutete in Richtung des Warteraums. »Begreifen Sie denn nicht? Alles ist verzerrt! Die ganze Welt ist umgestülpt! *Sie* sind die Norm!«

Anne machte sich nicht die Mühe, zu antworten. Sie ergriff ein Klemmbrett vom Schreibtisch, trat an das elektronische Fließdiagramm, das eine Wand des sechseckigen Büros einnahm, und gab über die Drucktastenkonsole neue Zahlen ein. Ihr Verhalten wirkte beinahe einstudiert – Anne, mit dem Rücken zu ihm Gleichgültigkeit heuchelnd, Korman, wütend vor sich hinstarrend.

Schließlich sagte er lahm: »Wie steht es?«

»Nicht schlecht. Abgesehen von Neunzehn in Primär Eins. Lydecker hat angerufen. Wir sind über dem Höchststand, wissen Sie.«

»Ich weiß«, sagte er gereizt. »Ich habe von Grüngürtel aus mit ihm gesprochen. Ich habe die Genehmigung gegeben.« Er starrte eine Weile vor sich hin, dann hob er plötzlich den Kopf, und sein Gesicht hellte sich erwartungsvoll auf. »Primär Zwei?«

Anne begann zu lächeln.

»Wenn Sie Siebenundzwanzig meinen – er schlägt noch immer alle Rekorde.«

Korman nickte.

»Der Mann ist phantastisch. Wie war der Name?«

»Parnell.«

»Parnell. Ja. Ich erinnere mich«, sagte er zerstreut. Und wieder brach es aus ihm heraus: »Zwei Jahre sind eine lange Zeit. Es dürfte einem nicht mehr das Herz zerreißen.«

»Ich weiß«, sagte Anne leise. Sie konnte sehen, daß er es schon fast hinter sich hatte.

Und ein paar Sekunden später wurde er schlagartig brüsk und dienstlich.

»Was zuerst?« Er warf seinen Schal auf das Sofa, zog seine Pfeife aus der Tasche und schob sie in den Mund.

»Sind Sie wirklich schon soweit?« neckte Anne.

»Ich denke schon.« Er sah sie argwöhnisch an.

»Doktor Hayley wird jeden Augenblick hier sein.«

Korman zog überrascht die Brauen hoch.

»Hayley?«

»Er macht heute die Runde mit Ihnen.«

»So, so. Hayley steigt vom Olymp herunter.« Seit Wochen hatte es keinen Tabak mehr gegeben, aber Korman sog heftig an seiner Pfeife.

»Vermutlich nur Routine. Vielleicht wird sein Büro frisch gestrichen«, meinte Anne spöttisch.

»Sie wissen verdammt genau, daß mehr dahintersteckt. Wenn Hayley seinen dicken Hintern erhebt und herunterkommt, gibt es einen guten Grund dafür.«

»Sie sind zu argwöhnisch, Doktor. Ich finde ihn eher – attraktiv.«

»Sie finden jeden attraktiv. Sie sind eine Nymphomanin.«

Anne grinste und wurde ernst, als das Telefon läutete und die gelbe Leuchttafel an der Konsole blinkte. Annes Gesicht bewölkte sich. Sie ließ den Telemonitor unbeachtet und meldete sich.

»Doktor Korman, Büro . . .« Korman sah zu ihr hinüber. »Es ist Steiner«, sagte sie zu ihm.

»Ja, Steiner«, sagte Korman knapp. Er hörte mit wachsender Ungeduld zu. »Steiner, das ist ausgeschlossen! Wissen Sie, wie viele Menschen draußen vor diesem Büro sind? Hören Sie zu, Steiner: Sie müssen sie auf Sekundär halten. Ich weiß, daß wir im Rückstand sind, und ich weiß, wie hoch die Abfertigungsquote sein sollte, aber ich steche hier keine Zimtsterne aus!« Er lauschte wieder und fuhr herum. »Was Hayley sagt, ist mir völlig egal! Hayley füllt Berichtsformulare aus! Hayley geht nicht mit zerstörten Gehirnen um!« Nachdem er das angebracht hatte, entspannte sich sein Gesicht, und er nickte duldsam, als der mitgenommene Steiner das Argument zurückgab. »Tut mir leid, Steiner«, sagte Korman schließlich leise. »Sie haben den Krieg nicht angefangen, und ich habe ihn nicht angefangen. Aber Herrgott noch mal, Mann, dieses ganze Gerede von Abfertigungsquoten und Erfolgszahlen ist doch zum Kotzen. Das Projekt ist erst ein paar Monate alt. Es ist so zerbrechlich wie eine Eierschale. Ich kann nicht schneller arbeiten.« Als Korman aufgelegt hatte, knurrte er, so als hake er die erste Hürde des Tages ab: »Steiner.« Er sah zu Anne hinüber. »So – jetzt wissen wir, was Hayley will. Er kommt her und beschleunigt das Ganze wieder mal.« Er schaute auf die Uhr, trat an die Garderobenhaken und griff nach einem weißen Kittel. »Wenn Seine Majestät eintrifft, sagen Sie, ich sei bei KHS;

wenn er glaubt, daß ich den ganzen Tag hier auf ihn warte, ist er nicht bei Trost.«

Dr. Hayley kam wie aufs Stichwort herein; Korman war noch dabei, in die Ärmel des Kittels zu schlüpfen, und Hayley, ein gutaussehender, humorloser Mann um die Fünfzig, starrte ihn kritisch an, als lasse man ihn warten.

»Fertig, Korman?«

2

Der Ton allein war schon ein Ärgernis, und Korman fand sich, so lächerlich es auch erschien, in der Defensive.

»Ich wollte gerade gehen«, konterte er. Wie üblich ging das an Hayley vorbei. Hayley hatte sich bereits auf das Flußdiagramm konzentriert und ging darauf zu.

»Auf dem neuesten Stand?« fragte er Anne.

»Ja.«

»Nur zweiundfünfzig in der ganzen vorigen Woche behandelt?«

»Stimmt, und achtundachtzig in Nachbehandlung«, sagte Korman.

»Endzustandentlassung? Wie sieht es heute aus?«

»Sechs«, sagte Korman trotzig. »Wir entlassen heute sechs, Doktor.«

»Hmmm«, machte Hayley. »Sechs. Nicht sehr gut, wie? Sie strömen von der Sekundärsiebung zur Interimsstation mit mindestens zwei Dutzend am Tag.«

»Ich weiß, Doktor«, sagte Korman. »Ich habe eben mit Steiner gesprochen.«

»Was können wir tun, um das zu beschleunigen, Korman?«

»Ich weiß es nicht. Wir haben das schon oft besprochen, Doktor. Das ist kein Fließband, oder?«

Hayley schaute sich nach ihm um, und seine ausdruckslosen Augen übermittelten ihre sarkastische Botschaft ohne Wimpernzucken. Dann ging er zur Tür, die zu KHS und den Fortgeschrittenenstationen führte, und sagte: »Na gut. Gehen wir.«

Katatonie-Heilungs-Stadium war die kritischste Phase des

ganzen Projekts. Das Personal der medizinischen Abteilung nannte sie nur ›Das Mausoleum‹, und die Patienten dort waren tatsächlich absolut still. In durchsichtigen Sarkophagen entlang dem schmalen Raum aufgereiht, wie in einem Massengrab von Pharaonen, schliefen sie ihren schwerfälligen Schlaf. Ihr Metabolismus war verlangsamt worden, und sie lagen regungslos, steif und stumm, nicht ganz tot, nicht ganz lebendig. Die Gesichter waren wie ausgebleicht; das Blut strömte träge mit dem Puls des verlangsamten Lebens.

Die schwere Tür dröhnte hinter ihnen und brach die lastende Stille. Korman und Hayley prüften die Lebenserhaltungssystemdaten, die elektronisch auf Monitorbildschirme am Fuß jedes Behälters projiziert wurden, und marschierten an den Plastikhüllen mit gemessenen Schritten vorbei.

Am Ende der Station meinte Hayley mißbilligend: »Zweiundsiebzig Stunden. Das ist einer von unseren Engpässen.«

»Es ginge natürlich schneller, wenn wir uns überhaupt nicht bemühen würden, sie herauszuholen«, gab Korman zurück.

Hayley schien kein Wort gehört zu haben. Seine knappe Geste bedeutete, daß sie mit KHS fertig waren.

Trotz der Gleichartigkeit der Räume und des grellen Weiß war Primärstation Eins eine ungeheure Erleichterung. Und es herrschte eine eigene erregte Atmosphäre – hier wurde die katatonische Gleichförmigkeit zu erstem Bewußtsein aufgebrochen; hier machte der von der Wissenschaft vorübergehend unterdrückte Verstand seinen unabhängigen Lauf in subtile Richtungen wieder geltend.

Der Mann in Nummer 9 zum Beispiel starrte mit schelmischem Grinsen vor sich hin. Korman und Hayley blieben kurz stehen, um ihn durch das Einwegglas der Tür zu betrachten. Die Lider des Mannes bewegten sich manchmal; sonst war der Ausdruck starr, das arglose Grinsen auf irgendein Abstraktum gerichtet, das beim ersten Schimmer des Bewußtseins willkürlich in sein Gehirn gedrungen war. Korman hatte bei einem Vortrag den Heilungsprozeß einmal mit der Entstehung eines Sonnensystems verglichen, in dem der gereinigte Geist wie der Kern einer rotierenden Wolke aus

Gasen und kosmischem Staub von einer Nebelspirale umkreist wird – in diesem Fall von Denkstoff. Der leere Kern würde schließlich einen Teil dieses Stoffs aufsaugen - einen einzelnen Gedanken, der praktisch als Grundstock eines neuen Gehirnkomplexes dienen würde.

Dieser Urgedanke konnte aber bei Gelegenheit ein launischer Eindringling sein. Der Mann mit dem Grinsen zum Beispiel; was für ein humoriger Gedanke hatte sich im Kern seines neuen Wesens festgesetzt? Niemand würde es jemals erfahren. Außerdem dauerte der Embryonalzustand gewöhnlich nur einige Stunden, und danach beschleunigte sich der Aufnahmeprozeß dramatisch. Binnen einer Woche konnten die meisten Patienten in Primär Eins nach Primär Zwei verlegt und verschiedenen Stufen der Behandlung unterzogen werden.

Nach Primär Eins waren die beiden kritischsten Phasen erfolgreich abgeschlossen; zunächst Auftauchen aus der Katatonie – manche schafften es nie; zweitens – Fortschritt über die erste Aufnahme von Gedanken hinaus. Ein Mißerfolg in diesem Stadium bedeutete eine Rückbildung zu Schlimmerem als dem Zustand, in dem der Patient die Behandlung begonnen hatte - ein aussichtsloses Dahinvegetieren.

Korman und Hayley kamen schnell voran und beobachteten die verschiedenen Haltungen neuen Erwachens, mit denen die Patienten ihren zaghaften Griff nach dem Leben demonstrierten. Auf einmal blieb Hayley vor einer der Zellen stehen und sagte gereizt: »Wer war sie?«

»Bundesrichterin, soviel ich weiß.«

Hayley brummte etwas vor sich hin und ging weiter. Vor Nummer 19 geriet er in Zorn. Durch das Einwegglas konnte er einen Patienten an die Decke starren sehen. Die Pupillen waren vergrößert, der Mund stand halb offen; der Mann sah aus wie ein frischgefangener Fisch. Ein Mann im weißen Kittel beugte sich erregt über ihn, und Korman schloß wie im Schmerz die Augen. Er hatte vergessen, bei 19 nachzusehen, bevor er mit Hayley das Büro verlassen hatte.

Hayley funkelte ihn an.

»Was geht hier vor, Korman?« Er drehte sich um und deutete auf den Mann im weißen Mantel. »Holen Sie ihn heraus.«

Korman drückte den Summer, und Lydecker hastete hinaus, ein hagerer, zur Kahlköpfigkeit neigender Mann, der das Alleinsein bevorzugte und die Autorität fürchtete. Lydecker erschrak, als er Hayley sah. Die Spritze, die er gegeben hatte, hielt er noch in der Hand.

»Wie lange geht das schon so, Lydecker?«

Lydecker blickte nervös auf Korman, der resigniert nickte.

»Ungefähr – achtundsiebzig – Sir«, sagte Lydecker dumpf.

»Sie wußten davon, Korman?«

»Ja. Gewiß.«

»Warum, zum Teufel, belegen Sie ein Bett mit einem Mann, der sechs Stunden über dem Maximum liegt!« schrie ihn Hayley an.

»Weil sich die festgesetzte Zweiundsiebzig-Stunden-Frist als unzureichend erwiesen hat«, sagte Korman steif. »Ich bin bei diesem Mann über das Limit gegangen, weil ich fest glaube, daß er in den nächsten Stunden auftauchen wird.«

»Sie nehmen allerhand auf sich, Korman. Dieses Projekt kann sich Ahnungen und Mutmaßungen nicht leisten. Es muß sich an den festgelegten Rahmen halten. Ist das klar?«

Es dauerte eine Sekunde, dann platzte Korman heraus: »Nein, verdammt noch mal, es ist nicht klar! Es gibt Patienten, die nicht nach Handbüchern reagieren. Und wie, zum Teufel, hält man sich an Regeln, wenn das ganze Projekt ein Experiment ist?«

»Ich weiß, daß das Projekt experimentell ist«, erwiderte Hayley ruhig.

»Verzeihung, Doktor«, sagte Korman tonlos.

Hayleys Blick ruhte auf Lydecker.

»Belebungsmittel?«

Lydecker sah unsicher auf die Injektionsspritze hinunter.

»Höchstdosis«, gab er zu.

Hayley schaute wieder in die Zelle. Das Gesicht des Patienten blieb starr.

»Wir brauchen die Betten.«

»Doktor – ich verlange nur zwei Stunden.«

»Sie haben ein halbes Dutzend tiefgekühlt im KHS. Jeder einzelne davon wartet auf dieses Bett.«

»Die KHS-Transit-Patienten beunruhigen mich nicht«,

sagte Korman. »Ein paar Stunden hin oder her machen ihnen nichts aus.«

»Sind Sie sicher, Doktor?« fragte Hayley leise. »Haben Sie Gewißheit? Das Projekt ist ein Experiment. Waren das nicht Ihre Worte?«

Korman wußte, daß er verloren hatte, nicht wegen Hayleys Autorität, sondern weil er recht hatte.

»Beenden«, sagte er zu Lydecker kaum hörbar.

Lydecker zögerte, dann öffnete er die Platte vor der Zelle, hinter der sich die Konsole für das Lebenserhaltungssystem befand. Er betätigte der Reihe nach die Kippschalter, und das Sofortstatusschema zeigte statt Gelb grelles Rot. Dann erlosch es. Lydecker schloß die Platte.

»Er war im Wirtschaftsrat«, sagte Korman.

»Wie hoch ist unsere Verlustrate hier, Doktor?«

»KHS-Endstadium, acht Prozent. Rückfälle, etwa zehn.«

»Und Rückfälle in Primär Zwei?«

»Zehn bis zwölf.«

»Aha.« Er schaute sich ungeduldig um. »Ich glaube, wir können weitergehen.«

Primär Zwei war ein hufeisenförmiger Bereich mit einer Steuerkonsole an der Öffnung des Hufeisens. Hayley ging sofort auf das Flußdiagramm neben der Konsole zu, betrachtete es und wandte sich an Korman.

»Korrekt, ja?«

»Ich verstecke keine Rückfälle«, sagte Korman kurz.

Hayley betrachtete das Diagramm eingehend. Korman deutete auf mehrere Reihen kleiner Bildschirme.

»Möchten Sie ein paar sehen?«

»Ja«, sagte Hayley, aber als Korman die Hand nach der Monitorbedienung ausstreckte, war Hayley schon unterwegs zu einer persönlichen Besichtigung. Korman folgte ihm achselzuckend.

In der Primärstation Zwei waren die Zimmer größer. Es gab hinter einer durchsichtigen Trennwand ein winziges Bad, ein Bett, einen Tisch und einen aufblasbaren Sessel.

Hayley ging, anscheinend zufrieden, an mehreren Zimmern vorbei. Die meisten Patienten in Primär Zwei zeigten tatsächlich ermutigende, wenn auch begrenzte Fortschritte. Hayley wies auf Zimmer 9.

»Mal sehen, wie sich der macht.«

In diesem Zimmer bewegte ein Mann seine Finger, fasziniert von seinem sich entwickelnden Können. Korman blickte auf die elektronische Statustafel an der Tür und kippte einen Schalter neben einem Sende-Empfangs-Gitter.

»Guten Morgen.«

Der Patient erstarrte; seine Augen hoben sich verwirrt. Das Geräusch war aus einem Lautsprecher neben seinem Kopf gedrungen, und er drehte sich langsam herum.

»Guten Morgen, Mr. Farrel.«

Der Patient starrte mit schiefem Hals auf den Lautsprecher. In seiner Miene spiegelten sich Verwirrung und beginnende Erregung.

»Wie geht es Ihnen heute?«

Die Andeutung eines Lächelns glitt über Farrells Gesicht und spiegelte sich in Kormans Augen wider.

»Sie machen sich gut, Mr. Farrell«, sagte er. »Sehr gut sogar.« Ob Farrel ganz mitkam oder nicht, schien bedeutungslos zu sein. Der Fortschritt war konkret. Korman drückte eine Taste für die Zentrale. »Jenner – Neun steht vor dem Durchbruch. Ich stelle Autoreaktion fest. Beginnen Sie heute nachmittag mit der Therapie.«

»Gut, Doktor.«

Hayley ging nach einer kurzen Pause weiter, aber Korman fühlte sich im Augenblick sehr wohl. Irgendwie hatte Nicholas Farrell, 30 Jahre alt, ehemals Ingenieur, auf seine Weise das Desaster in Zelle 19 der Primärstation Eins wiedergutgemacht.

Hayley wirkte unentschlossen, was gar nicht zu ihm paßte. Er schien den riesigen Raum verlassen zu wollen, aber irgend etwas hielt ihn zurück. Er wies auf die Wand vor den noch nicht besichtigten Räumen.

»Alle ziemlich gleich, ja?«

»Ja – bis auf Siebenundzwanzig, versteht sich. Wollen Sie ihn nicht sehen?«

Hayley hob überrascht den Kopf.

»Siebenundzwanzig? Was stimmt mit ihm nicht?«

Nun sah ihn Korman erstaunt an.

»Haben Sie meinen Bericht über ihn nicht bekommen? Ich habe ihn am Freitag hinaufgeschickt.«

»Ich weiß nicht genau«, sagte Hayley ausweichend. »Etwas Wichtiges?«

»Zweierlei. Erstens waren seine Fortschritte phänomenal. Er ist in knapp über fünfzig Stunden herausgekommen. Das hat bisher noch niemand erreicht. Völlige Selbstangleichung zwei Stunden später. Und nach vierundzwanzig Stunden von der Therapie gelangweilt. Ich habe mir schon eine Verlegung durch den Kopf gehen lassen.«

»Sie sagten – zweierlei.«

»Ja. Ich weiß nichts über ihn«, sagte Korman.

»Gute Fortschritte, ja?«

»Unglaublich.«

Hayley wirkte kurze Zeit besorgt.

»Leider beweist das noch gar nichts.« Er schaute auf die Uhr.»Ich bin schon spät dran«, sagte er, schien das Gespräch aber nur widerwillig abbrechen zu wollen. »Sie haben natürlich die Verhaltung geprüft?«

»Nichts. Bis jetzt alles in Ordnung.«

Hayley nickte und setzte sich in Bewegung.

»Ich habe keinerlei Angaben über ihn«, wiederholte Korman. »Steiner auch nicht.«

Hayley zögerte.

»Oben liegt nichts über ihn vor«, sagte er knapp. »Ich gebe Ihnen Bescheid, sobald ich etwas erfahre.«

Hayley ging mit schnellen Schritten davon und verschwand. Korman sah ihm betroffen nach. Hayley war ein Rätsel, unbiegsam und starr, ein Arm des Komplexes selbst.

Aber er hatte schlecht getarnt, was Korman nun als Zweck seines Besuches erkannte. Der Mann in Zimmer 27.

3

Seine Neugier wurde durch einen Anruf Steiners weggewischt. Ein dringender Fall: Einer von den Durchgangspatienten war *in extremis*. Der Mann hatte einen Patienten halb erdrosselt, einem zweiten den Arm gebrochen und den ganzen Morgen verzweifelt versucht, sich umzubringen – zuerst, indem er seinen Schädel an die Mauer schmetterte, und dann, indem er in der Zwangsjacke den Atem anhielt. Sein

Gesicht war blau angelaufen, und er hatte das Bewußtsein verloren. Wiederbelebt, hatte er es erneut versucht; von Pflegern behindert, hatte er an seinen Lippen gekaut und das weiche Fleisch ganz durchgebissen. Der Patient sollte am nächsten Morgen der Behandlung unterzogen werden, aber Steiner meinte, man könne nicht so lange warten.

Korman verfluchte Steiner und ging sofort zur Durchgangsstation, wo ihn ein Blick auf den Patienten davon überzeugte, daß Steiner recht hatte. Er rief Anne an, aber sie war ihm zuvorgekommen und hatte das Erforderliche veranlaßt.

Der Patient wurde hereingebracht. Er bäumte sich auf wie ein wildes Tier. Sein Gebrüll hallte von den Wänden wider. Beim Anblick des blockartigen Tisches unter den Behandlungsgeräten verdrängte Urangst seinen Todeswunsch, und er sackte in den Armen der Pfleger, die ihn bisher kaum hatten bändigen können, schlaff zusammen. Der Patient war ein starker Mann mit enormem Brustkorb, massigen Schultern und dickem Hals, der nur aus Knorpel und Sehnen bestand.

Korman betrachtete seinen Patienten, der jetzt schlaff vor Angst war, dem es die dunklen Augen heraustrieb. Sein eigenes Gesicht hatte sich angespannt; die Behandlung war eine furchtbare Sache. Laut Steiner war der Mann Philosophieprofessor gewesen, mit dem Spezialfach Theologie. Ein Gipfel der Ironie, dachte Korman, zumal der Mann im Fall der Genesung nie wissen würde, was er gewesen war, daß er sich im Wahnsinn befand und was diesen hervorgerufen hatte.

Der Patient wurde auf dem Tisch festgebunden. Seine getrübten Augen füllten sich mit Tränen, die in vollkommener Symmetrie an seinen Wangen hinabrannen.

Der bleiverkleidete Arm wurde langsam herabgelassen, bis die beiden Hälften der Maske – sie hatte natürlich einen Spitznamen: ›Die eiserne Jungfrau‹ – unmittelbar über dem Gesicht des Patienten schwebten. Die untere Maskenhälfte bestand aus durchsichtigem Kunststoff, die obere besaß eine stumpfe, metallische Färbung. Neben Korman blinkte ein arbeitsbereiter Computer. Eine rote Tafel mit dem Wort ›Scharf‹ leuchtete auf. Die Maske senkte sich hinab und erstickte das Wimmern des Patienten.

Korman sah Anne an, dann drückte er die Haupttaste.

Ein dynamoartiges Summen breitete sich aus. Die Augen des Patienten weiteten sich in plötzlichem Schock und schlossen sich krampfhaft.

Eine Minute später, während sie die wild ausschlagenden Instrumentenzeiger überwachten, sagte Korman zu Anne: »Ist die Wissenschaft nicht etwas Großartiges? Mit einer schlichten Infusion stellen wir aus alten Gehirnen neue her. Ganz einfach.«

Lange danach, im Eßsaal, während er die Wasserfallprojektion mit ihrem simulierten Brausen und Zischen anstarrte, dachte er an Hayleys Besuch. Und an den Mann in Zimmer 27. Er kürzte die Mahlzeit ab und ging zur Primärstation Zwei.

Der erste Blick rief Belustigung hervor. Die Hände von 27 waren auf der Brust verschränkt, und er drehte aus Langeweile Daumen. Er saß zurückgelehnt auf seinem Feldbett, die Knie angezogen. Eine offene Broschüre lehnte an seinen Beinen. Er blätterte um, warf einen Blick darauf, warf das Heft zur Seite.

Korman trat ins Zimmer, und die Tür schloß sich hinter ihm. Aus einem Lautsprecher an der Decke drang leise Musik – hier unten konnte ihm der Ausschuß nicht befehlen, was er zu tun hatte. Er überließ den fortgeschrittenen Patienten von Primär Zwei die Entscheidung; an der Wand gab es einen Knopf, mit dem man die Musik ausschalten konnte.

Trotz Musik und Daumendrehen wirkten die Augen von 27 beunruhigend.

»Na – guten Morgen«, sagte Korman lebhaft.

Der Patient betrachtete Korman mit unverhüllter Neugier.

»Guten Morgen«, sagte er. »Ich habe Ihre Regeln und Vorschriften gelesen.« Es klang mißbilligend.

»Ganz so streng sind wir auch nicht – Alex. Ich heiße Korman, Doktor Korman.«

Der Patient wirkte verärgert.

»Was, zum Teufel, heißt das – Alex?«

»Daran bin leider ich schuld. Wir wechseln uns bei den Namen ab . . . aber eine Rose ist eine Rose, und da habe ich für Sie Alex Parnell ausgesucht. Ich finde, das ist ganz gut«, meinte Korman mit einem Grinsen. »Vorige Woche wurde hier einer entlassen, der Caligula hieß. Cäsar Caligula, glaube ich; eine Laune eines Kollegen.«

»Parnell. Irischer Revolutionär, nicht?«

Darauf war Korman nicht vorbereitet. Er nickte mit offenem Mund.

»Haben Sie irische Vorfahren, Doktor?«

»Ich weiß es nicht genau«, erwiderte Korman. »Aber eigentlich dürften Sie noch gar nicht soviel wissen.«

»Es hilft nicht. Ich weiß noch immer nichts. Meinen Namen, Ihren Namen, vier Wände.« Er sprang auf und riß die Broschüre an sich. »Was, zum Teufel, ist Komplex eins?«

»Ein Bundeszentrum, Alex, sehr hoch und sehr tief. Es umfaßt alle Zweige der Regierung und eine arbeitende Bevölkerung von etwa vierzigtausend – einschließlich der medizinischen Einrichtungen in der siebenundzwanzigsten Tiefetage, wo wir uns gerade angenehm unterhalten.« Er deutete auf ein Tablett. »Sie haben Ihre Milch noch nicht getrunken.«

Parnell sah mit anerkennendem Lächeln auf die Broschüre und wieder auf Korman.

»Gut einstudiert, Doktor.«

»Es ist ein bißchen sehr vertraut geworden«, gab Korman zu.

»Schön, und was bedeutet es?«

»In Beziehung worauf, Alex?« fragte Korman unschuldig.

Parnell stutzte und sah Korman verwirrt an.

»Ich weiß nicht.«

»Was wissen Sie nicht?«

Parnell brauchte einen Augenblick, bevor er antwortete.

»Alles ... Aber in dieser Minute – es war merkwürdig – so, als sollte ich es wissen.«

»Was?«

»Wo wir sind. Ich. Ach – irgendwas. Die letzten Tage – sie sind die einzigen, die ich kenne. Und dieser gottverdammte ›Komplex‹ – er ist der einzige Ort, den ich kenne. Aber einen Augenblick lang ... schien es mehr geben zu müssen.«

»Verständlich«, sagte Korman sanft. Er zog die Pfeife heraus, klemmte sie zwischen die Zähne und setzte sich. »Das Gefühl des Nichtdazugehörens ist ganz normal.«

»Ja?«

»Gewiß. Der Komplex zum Beispiel. Sie sind praktisch hier geboren worden. Es ist aber ein unvertrauter Mutterschoß; es gibt keine tröstenden Erinnerungsmuster, an die man sich halten könnte – weil der Komplex selbst neu ist. Selbst wenn reiner Tisch gemacht wird, behält das Gehirn nämlich schattenhafte Bereiche von Billigung und Ablehnung. Ihr Verstand scheut vor dem Komplex zurück, weil er gänzlich fremd ist. Er hat nicht einmal in den schattenhaften Gebieten irgendeiner Vergangenheit existiert.«

»Neu?«

»Ja. Er ist erst vor etwa einem Jahr fertiggestellt worden.« Er beobachtete Parnell genau.

»Und ich bin neu.«

»So kann man es ausdrücken.«

»Warum?«

»Alles der Reihe nach«, sagte Korman in ruhigem Ton, aber entschieden.

»Sie sagten: In Beziehung worauf? Das ist der Schlüssel, nicht, Doktor? In Beziehung worauf?«

»Das ist der schwierige Teil, Alex«, räumte Korman ein.

»Es gibt keine Beziehung zu irgend etwas, nicht?«

»In diesem Sinn – nein. Es gibt keine Vergangenheit.«

Parnell hob plötzlich den Kopf.

»Ich bin ja nicht gerade vom Storch gebracht worden, Doktor. Ich kann denken, ich kann sprechen. Warum kann ich mich nicht erinnern?«

»Technisch gesehen, wegen einer elektronischen Behandlung, die gewisse schädliche Störungen der Vergangenheit beseitigt hat. Es handelt sich dabei um ein sehr trennscharfes Verfahren; der Intellekt und die physischen Fähigkeiten bleiben erhalten – allerdings dauert es einige Zeit, bis sie wieder ganz zur Verfügung stehen. Ich kann Ihnen ruhig sagen, daß die Fortschritte in Ihrem Fall verblüffend gewesen sind. Sie scheinen die übliche Umstellungsperiode übersprungen zu haben.«

»Technisch gesehen ist das faszinierend, Doktor, aber Sie haben die Lücken nicht ausgefüllt.«

»Ich sollte vielleicht erwähnen, daß andere Patienten auch keine Fragen stellen«, gab Korman zurück.

»Meine Fortschritte sind verblüffend.«

»Das muß Schritt für Schritt gehen«, sagte Korman.

»Stellen Sie es sich vielleicht so vor, Alex – es gibt auch keine vergangenen Probleme.«

»Sehr beruhigend«, sagte Parnell. »Ich bin in einem sogenannten Komplex eins. Und ich habe keine quälenden Probleme in der Vergangenheit –« Er dachte nach und wurde zornig. »Außer diesen: Wer bin ich? Wo bin ich? Was bin ich? Und warum bin ich hier?«

Parnell reckte den Kopf vor, und seine Augen funkelten empört. Korman beobachtete ihn nicht, stand auf und klopfte mit der leeren Pfeife auf den Tisch.

»Zu viele Fragen verderben die neue Brühe«, sagte er. Es war Gefasel von der schlimmsten Sorte, aber es gab nicht mehr zu sagen. »Ihr Ziel ist jetzt völlige Gesundung. Zeit genug für Fragen.«

Parnell schaute sich im Zimmer um und nickte düster.

»Zeit genug. Ja – das spüre ich. Korman«, entfuhr es ihm plötzlich, »bin ich in einem Gefängnis?«

Korman war betroffen. Seltsamerweise hatte diese Frage noch niemand gestellt.

»Nein, natürlich nicht«, meinte er lächelnd.

»Seltsam. Wie mir Wörter durch den Kopf schießen – aus irgendeinem verborgenen Reservoir. ›Gefängnis‹, ›Reservoir‹. Woher kommen sie? Ich scheine sie herbeizitieren zu können, ohne zu wissen, daß es sie gibt.«

»Das ist das Wunder der Wiedergeburt, Alex.«

»Und werde ich eines Tages auch die Vergangenheit herbeizitieren können?«

»Nein. Die Vergangenheit ist dahin.«

Parnell atmete tief ein. Wieder griff er nach der Broschüre.

»Die Vergangenheit ist dahin. Und das ist alles, was ich dafür bekomme.« Er schlug das Heft auf. »Essenszeiten, Namen des Pflegepersonals, Verfügbarkeit der Einrichtungen. Alles – außer weshalb der Patient überhaupt hier ist. Weshalb wird er wiedergeboren? Was ist mit ihm geschehen, Doktor?«

»Ein Schritt nach dem anderen.«

Parnell versuchte ein Grinsen zu unterdrücken, aber es gelang nicht.

»Sie sind ein verschlossener Halunke«, sagte er.

Korman zuckte die Achseln.

»Man hat mich schon Schlimmeres genannt.« Er ging zur Tür, zögerte und trat an eine verdeckte Schalttafel, zog einen Schlüssel heraus, öffnete die Platte. Er betätigte einen Schalter. Augenblicklich erschien ein Bild an einer der Wände. Ferne, schneebedeckte Gipfel, davor grüne Wiesen mit goldenen Narzissen. Gras und Blumen schwankten sanft im Wind; über dem höchsten Gipfel schob sich eine einzelne Wolke von reinstem Weiß über den Himmel. Das Bild besaß erstaunliche Tiefe; das Zimmer war plötzlich zum Korridor in eine unendliche Welt geworden.

Parnell war überwältigt. Er näherte sich dem Bild und starrte es ungläubig an, unfähig, diese neue Wahrheit in einer Dimension außerhalb seiner Reichweite ohne weiteres zu verkraften. Seine Finger streichelten die glatte, unnachgiebige Oberfläche der Wand, so grün und scheinbar weich. Und unerreichbar. Er drehte sich plötzlich um.

»Abschalten!«

Verblüfft drehte Korman den Schalter; die Wand war wieder nackt.

»Mein Gott«, flüsterte Parnell.

»Haben Sie etwas gesehen, Alex?« fragte Korman erschrocken. »Ich muß wissen, ob Sie etwas anderes als diese Projektion gesehen haben.«

»Ja, ich habe etwas gesehen. Ich habe etwas gesehen.«

»Was?«

»Etwas so verdammt Schönes, daß ich ein Teil davon sein möchte«, sagte Parnell zornig und bitter.

Korman brauchte einen Augenblick, um zu verstehen. Er drehte den Schalter, und das Bild erschien von neuem.

»Ist das alles, was Sie gesehen haben? Nur das, was hier zu sehen ist?«

»Nur das. Etwas, was nicht wirklich ist.«

Korman schien wieder den Atem anzuhalten.

»Irgendwo ist es wirklich«, sagte er aufmunternd.

»Kann ich es behalten?«

Korman deutete auf die offene Tafel.

»Ich überlasse sie Ihnen. Sie haben die Wahl unter mehreren Dutzend Szenen. Der Knopf rechts ist ein Wählschalter.«

Parnell betrachtete ihn einen Augenblick – so, als warte er auf einen Vorbehalt.

»Zu Ihrer Information«, sagte Korman lächelnd, »diese Art von Therapie findet nie schon in der ersten Woche statt. Aber Sie sind ein frühreifer Patient, Mr. Parnell.« Korman drehte sich um.

»Doktor –«

»Ja?«

»Noch eines – wissen Sie noch, was Sie über Erinnerungsmuster gesagt haben? Wie der Verstand zurückscheut? Er scheut vor Alex Parnell.«

»Soll er auch«, sagte Korman gleichmütig. »Sie und Alex Parnell treten in eine Partnerschaft ein. Es dauert seine Zeit, sich bekannt zu machen.«

»Das genügt nicht«, sagte Parnell. »Ich will keine neue Partnerschaft. Ich möchte nach wie vor wissen, *wer* ich war und *was* ich war. Nicht den Namen eines weißgestrichenen Lochs unter der Erde. Nicht irgendeinen Namen, den ich noch nie gehört habe, nur weil Sie eine Urgroßmutter gehabt haben!«

»Sie irren sich«, erklärte Korman entschieden. »Ihr Name ist Alex Parnell. Er ist es immer gewesen, seit es Sie gibt.«

Parnells Augen flammten. Er beugte sich vor.

»Ich will wissen – *wer ich bin!*«

Kormans Sanftheit verschwand. Nicht weniger wild sagte er: »Sie heißen Alex Parnell. Suchen Sie nicht nach mehr, weil es keine Vergangenheit gibt!«

Er fuhr herum und verließ das Zimmer. Als sich die Tür hinter ihm geschlossen hatte, blieb er jedoch auf der Rampe stehen und schaute sich um. Eine eigenartige Unsicherheit überfiel ihn. Parnell. Ein exotisches Gewächs, der Erklärung trotzend. Es gab sehr viel, was er nicht wußte; vieles, was Hayley ihm nicht verriet. Wer war Parnell wirklich?

4

Anne hatte mit Hilfe der Monitorbildschirme KHS, Primär Eins und Zwei überprüft und den derzeitigen Status in das Flußdiagramm einprogrammiert, als Korman erschien. Er blickte nicht auf das Diagramm, weil er Annes kurze Zusammenfassung vorzog, sondern griff nach der Kaffeetasse.

»Nun?«

»Es geht«, sagte sie. ›Nicht schlecht‹ hieß ›alles beim alten‹; ›Nicht besonders‹ verriet Unheil; ›Es geht‹ bedeutete, daß niemand gestorben und niemand in der Nacht verrückt geworden war, aber daß es ein Problem gab.

Korman öffnete den Hahn des Kaffeeautomaten.

»Wallace?«

Anne ließ die Tasse sinken.

»Woher wußten Sie es?«

»Manisch?«

»Ja.«

»Nur eine Ahnung.« Korman zog die Pfeife heraus und klopfte damit an seine Zähne, dann schob er sie in den Mund – der erste tabaklose Zug des Tages. »Merkwürdig, wie das bei manchen zutage tritt. Irgendein verborgenes Syndrom taucht auf und übernimmt das Kommando. Entfremdung?«

»Ja. Todesangst vor Kontakt mit anderen.«

»Na ja, ich arbeite am Nachmittag mit ihm.« Er zögerte. »Was sonst?«

»›Was sonst‹ ist heute noch frühreifer als üblich«, erwiderte sie. Sie wußte sehr genau, wen er meinte.

Es fiel Korman schwer, ein beinahe väterliches Grinsen geheimen Stolzes zu unterdrücken. In den vergangenen zweiundsiebzig Stunden hatte Parnell seine spektakulären Fortschritte auf Schimpfen, Nörgeln, Kritisieren ausgedehnt – manchmal setzte er sogar Charme ein. Seine Unwissenheit über die Welt jenseits seiner eigenen Wände hinderte ihn nicht daran, zu vermuten, sie müsse verrottet sein. Weshalb sonst konnte ein Mensch gegen seinen Willen eingesperrt sein?

Parnell ärgerte sich über die Lektüre, die man ihm gab. ›Wie die Erde entstand‹; ›Wie alles wächst‹; ›Die Tiere‹; ›Woher kommt das?‹ und ›Wie funktioniert das?‹. Parnell bekam Wutanfälle dabei, aber Hayley hatte in den vergangenen drei Tagen zweimal Kormans Bitte um fortgeschrittenere Lektüre abgelehnt.

»Der Mann langweilt sich zu Tode«, hatte Korman erklärt. »Er braucht geistige Übung. Wir verschließen eine Springquelle; das erzeugt viel Druck.«

»Wenn er explodieren wird«, hatte Hayley schwerfällig

geantwortet, »dann ist es vielleicht besser, das jetzt schon zu wissen –«

»Aber warum den Druck steigern?« hatte Korman eingewendet. »Die Genesungsverfahren sehen keinen Eingriff dieser Art vor. Wir sollen doch nicht testen.«

»In diesem speziellen Fall haben wir es mit Merkwürdigem zu tun. Vielleicht eine beschleunigte Abart –«

»Die ausbrennen wird?« hatte Korman ergänzt.

»Die Möglichkeit besteht –«

»Das glaube ich nicht, Doktor. Seine Reaktion auf die Behandlung mag ungewöhnlich sein, aber sie ist nicht negativ. Spektakuläre Fortschritte an sich bedeuten noch nicht, daß eine Mißbildung im Entstehen ist.«

Haley hatte die Stirn gerunzelt.

»Nach meinem Gefühl wird außergewöhnliche Förderung zu einem Risiko«, hatte er erklärt. »Ich kann Ihrer Bitte nicht stattgeben.«

Anne, die vor den Monitoren stand, sagte jetzt zu Korman: »Wollen Sie mit ihm sprechen?«

»Sicher.«

»Ich warne Sie«, meinte Anne lächelnd. »Er ist in rastloser Stimmung.«

Sie kippte den Monitorschalter für Primär II, Zimmer 27, und Parnells Zimmer erschien auf dem Bildschirm – allerdings ohne Parnell.

»Wo ist er denn?« fragte Korman. »Wie könnte er hinausgekommen sein?«

»Gar nicht. Und von der Zentrale liegt keine Meldung vor.«

Kormans Befürchtungen lösten sich plötzlich auf, und er begriff. Ungeduldig schaltete er auf die Suchkamera. Auf dem Bildschirm sah man nun von der Bettwand zur Tür. Parnell stand über ein klaffendes Loch in der Wand neben der Tür gebeugt. Es hatte die Steuertafel mit den Landschaftsbildern enthalten, aber sie war herausgerissen worden und lag am Boden. Parnell hatte einen Arm in die Mauer geschoben und bohrte mit verzerrtem Gesicht darin herum.

Korman drückte die Sprechtaste.

»Was, zum Teufel, machen Sie denn da?« fuhr er Parnell an. Der ganze Stolz auf seinen Schützling war wie weggefegt.

Parnell besaß kein Bild, auf das er sich konzentrieren konnte; die Übertragung war einseitig. Jetzt hörte er auf, wild herumzutasten, ertappt, aber nicht übermäßig reumütig. Er drehte den Kopf und winkte resigniert. Er wirkte wie ein Gladiator, der mit beinahe perverser Fröhlichkeit auf den nach unten gekehrten Daumen wartet.

Er zog den Arm aus der Mauer und deutete auf die Tür.

»Wie bekommt man die auf?«

Die Frage war so unschuldig gestellt, daß Anne zu lachen begann. Korman sah sie gereizt an, wurde einen Augenblick lang von ihrer Heiterkeit angesteckt und wandte sich wieder streng an Parnell.

»Himmel noch mal, Alex, Sie haben die Wand aufgerissen.«

»Ich weiß. Stört irgendwie die Symmetrie, nicht?«

»Was dachten Sie, wohin Sie gehen könnten? Primär Zwei ist abgeschlossen. Selbst wenn Sie die Tür erreicht hätten, wäre in der Zentrale ein Alarmsignal gegeben worden. Daran wären Sie also schon gar nicht vorbeigekommen!«

»Aber der Tag hätte sich für mich gelohnt«, antwortete Parnell. Er lächelte zuckersüß und betrachtete die am Boden liegenden Überreste der Schalttafel. »Eigentlich nicht mal schlecht«, meinte er.

»Es war dumm«, erklärte ihm Korman.

Parnells Gutmütigkeit war plötzlich weggewischt.

»Wollen Sie sich unterhalten oder predigen, Doc?« Er ging zur Rückwand und setzte sich unter die Suchkamera. Korman sah Anne verärgert an, seufzte und schaltete auf Zweiwegübertragung. Nun konnte Parnell ihn auch sehen.

»Sie wollten eben etwas sagen«, meinte Parnell.

»Ich sagte, es war dumm.«

»Verraten Sie es mir nicht«, sagte Parnell trocken. »Die Strafe ist Einzelhaft.«

»Sie sind einfach zu vorlaut. Und Sie tun sich nichts Gutes, wenn Sie gegen die Regeln verstoßen.«

»Ich bin hier eingesperrt und möchte hinaus«, sagte Parnell. »Was soll ich denn da sonst tun?« Er machte eine Pause. »Mit Anne spielen?«

Anne trat näher an Korman heran, so daß Parnell sie auf dem Bildschirm sehen konnte. Er lächelte höflich.

»Verzeihung.«

»Hören Sie, Alex«, sagte Korman rasch, »diese Rechtha-
berei hat keinen Wert. Sie wissen, daß Sie Ihr Zimmer noch
nicht verlassen dürfen. Sie wissen verdammt genau, daß Sie
die Tür nicht aufsprengen sollen. Sie kennen die Regeln, also
machen Sie keine Tugend daraus, sie zu übertreten.«

»Doc«, sagte Parnell in geduldigem, bittersüßem Tonfall,
»ich weiß, daß man mich nicht hinausläßt. Das ist so ungefähr das einzige, was ich weiß.« Seine Stimme schwoll an.
»Also machen *Sie* keine Tugend aus dem Einsperren.«

Korman seufzte erschöpft.

»Alex – ich habe das schon mehr als einmal erklärt. Sie sind
kein Häftling. Sie sind Patient. Diese Periode der Isolierung
ist ein besonders heikles Übergangsstadium. Können Sie
nicht begreifen, daß Ihre Verwahrung keinen Strafcharakter
hat, sondern medizinisch erforderlich ist?«

Parnell nickte.

»Doc – Sie haben vergessen, mir mitzuteilen, woher die
Babys kommen.«

Anne unterdrückte diesmal ein Lachen, aber Korman
grinste offen.

»Wann kann ich hinaus, Doc?«

Korman traf seine Entscheidung augenblicklich.

»Sobald ich Sie herausholen kann«, sagte er und biß die
Zähne zusammen.

»Wie bald?«

»Morgen.«

Anne starrte erstaunt auf Kormans grimmig entschlossenes
Gesicht. Auf dem Bildschirm nickte Parnell; sie hatten eben
einen Waffenstillstand geschlossen.

»Ich schicke jemanden, der das repariert«, sagte Korman.

Parnell sah zu dem Loch hinüber, dann grinste er.

»Lassen Sie nur. Das mache ich selbst. Therapeutisch ist
das bestimmt sehr gut.«

Anne warnte ihn davor, das Ganze zu persönlich zu nehmen.
Sie ließ durchblicken, daß sie Parnell für ein Experiment
von oben halte. Korman, der darüber auch schon nachge-
dacht hatte, glaubte nicht daran.

»Aus drei Gründen nicht, Anne«, sagte er. »Ich bezweifle,
daß Hayley hinter meinem Rücken mit der Behandlung ex-
perimentieren würde, ich kenne mich in den Labors aus, und

außerdem hat Parnell nichts in sich, was darauf hindeuten würde. Ich kenne ihn bis zum letzten Zuckerphosphat.«

Anne wollte etwas erwidern, aber das Telefon läutete. Es war Dr. Hayley, den Korman schon seit einiger Zeit zu erreichen versucht hatte. Zu seiner Verblüffung sagte Hayley sofort: »Zu Ihrer Nummer Siebenundzwanzig in Primär Zwei. Ich finde, Sie sollten ihn morgen verlegen.«

Zwei Männer gab es, die in Hayleys sonst durchaus steuerbaren Kreis von Mitarbeitern und Kollegen nicht passen wollten. Der eine war Korman, Rebell und Widerspruchsgeist. Der andere war Laird, der schlanke, bebrillte Mann, der Hayley genau zu dem Zeitpunkt angerufen hatte, als Parnell aus seinem Zimmer zu entkommen versuchte.

Laird war ein täuschend sanfter Mann mit einem beunruhigend drohenden Unterton in der Stimme. Trotz ihrer angeblichen Gleichrangigkeit spürte Hayley die vage Verachtung des anderen, nicht nur ihm selbst, sondern der ganzen Medizinischen Abteilung gegenüber.

Als der Kanal auf die Zerhackerfrequenz eingestellt war, sagte Laird brüsk: »Schalten Sie Siebenundzwanzig ein.«

Hayley zögerte, dann drückte er eine Taste. Ein Bildschirm flammte auf und zeigte Parnell bei dem Versuch, die Tür mit Gewalt zu öffnen. In derselben Sekunde konnte man Kormans empörte Stimme hören: »Was, zum Teufel, machen Sie denn da?«

Später meldete sich Laird auf der Gegensprechanlage bei Hayley. Selbst auf dem Bildschirm funkelten seine Augen vor Betroffenheit.

»Weiß dieser Korman eigentlich, was er tut?«

»Besser als jeder andere«, sagte Hayley scharf. »Ohne ihn gäbe es kein Projekt.«

»Tja, ich bin beunruhigt«, erklärte Laird. »Er hat eben versprochen, den Patienten morgen zu verlegen. Ich bin mir nicht sicher, ob ich zwischen den Irren und ihren Wärtern unterscheiden kann, Doktor.«

Hayley war erschüttert. Laird war noch nie so direkt geworden. Hayley wußte, daß er einen taktischen Fehler begangen hatte; nie hätte er Laird einen Monitoranschluß zugestehen dürfen. Das würde ihm nicht noch einmal passieren.

»Sie stützen ihn doch nicht?« fragte Laird.

»Doch.«

»Ich glaube, Sie machen einen Fehler.«

»Meine Aufgabe ist Wiederherstellung«, sagte Hayley.

»Ich habe nicht Ihre Zuversicht, Hayley. Ich bin nicht sicher, daß sie möglich ist. Vor allem nach diesem Anfall.«

»Ich glaube nicht, daß man es einen ›Anfall‹ nennen kann, wenn sich der Instinkt eines Menschen, aus der Haft zu entkommen, durchsetzt.«

»Mit anderen Worten, Sie sind absolut sicher, daß es keinen Retentionsfaktor gibt.«

»Ein solche Gewißheit gibt es bei keinem Patienten, der sich der Behandlung unterzogen hat, Sir. Zu keinem Zeitpunkt.« Das ›Sir‹ klang ironisch.

Laird nickte, als wolle er den Empfang der Stichelei bestätigen. Hinter seiner starren Maske wird man eines Tages zwei Lichtpunkte und eine elektronische Stimmbox entdekken, dachte Hayley.

»Sie schneiden sich selbst die Kehle durch, Hayley«, meinte Laird in merkwürdig vertraulichem Ton.

»Was erwarten Sie von mir?«

»Unterziehen Sie ihn ein zweites Mal der Behandlung.«

Hayley starrte ihn entsetzt an.

»Ausgeschlossen«, flüsterte er.

»Sie arbeiten seit Monaten daran, nicht wahr?«

»Ja. Aber es ist immer noch ein Experiment. Es würde ihn umbringen.«

Lairds Gesicht verzerrte sich vor Enttäuschung. Und er sagte alles. Hayley begriff plötzlich, daß Lairds ganzes Bestreben auf eine zweite Behandlung gerichtet gewesen war.

»Ich kann das nicht in Erwägung ziehen«, sagte er nervös. »Es ist noch nicht soweit.«

»Bei diesem Mann muß es so oder umgekehrt gehen, eine dritte Möglichkeit gibt es nicht.«

Nach einer Pause sagte Hayley mehr zu sich selbst: »Es gibt keinen Retentionsfaktor. Davon bin ich überzeugt.«

»Hoffentlich nicht«, meinte Laird. »Ich riskiere nämlich den Hals. Und Sie auch. Es darf keine Retention geben. Bevor Sie ihn laufenlassen, muß er sauber sein. Absolut sauber.« Laird machte eine Pause. »Egal, um welchen Preis.«

5

Das Wartezimmer hatte keine Ähnlichkeit mit den anderen in der Medizinischen Abteilung. Die Sessel waren bequem, die Beleuchtung gedämpft, die Wände mit Holzmuster verliehen dem Raum eine Wärme, die deutlicher als Worte von Übergang und Hoffnung sprach. Die weißschimmernde Welt der Medizin, des Zweifels, war zurückgelassen worden.

Ein halbes Dutzend Männer und eine mütterlich wirkende, grauhaarige Frau befanden sich im Raum, unter ihnen Parnell. Er schaute sich um und grinste. Er hatte es geschafft. Er wußte nicht genau, was, aber das Zimmer 27 lag hinter ihm. Korman hatte sein Versprechen gehalten. Korman hatte sich auch bemüht, ihm seinen neuen Status zu erklären: Bereich A war ein Übergang, ein langfristiges therapeutisches Stadium. Dort würde der Patient die nächsten sechs bis zwölf Monate leben und arbeiten.

»Und danach?« hatte Parnell gefragt.

»Das hängt von Ihnen ab.«

»Na, hören Sie, Doc. Von mir hängt gar nichts ab. Was geschieht nach sechs bis zwölf Monaten?«

»Tja. Vorausgesetzt, die Fortschritte sind zufriedenstellend, gibt es mehrere Möglichkeiten.«

»O Mann, Sie können es einfach nicht, wie?« hatte Parnell gutmütig geschnaubt.

»Was?« fragte Korman.

»Irgend etwas ohne Umschweife sagen.«

»Nein«, gab Korman zu.

»Also gut. Ich nehme an, jeder muß sich an die Regeln halten.«

»Jeder.«

»Man läßt mich hier zwar hinaus, ich bekomme aber nicht alle Antworten, wie?«

»Nicht alle, nein. Manche Fragen werden nie beantwortet, Alex. Nie. Das ist Ihnen klar, nicht?«

»Ich weiß nicht. Ich weiß nur, was Sie mir sagen.«

»So muß es bleiben«, hatte Korman dumpf erklärt.

»Na gut, Doc. Sie haben mich erschaffen. Für mich sind Sie der liebe Gott, die Evangelien und die Schöpfung. Ich werde brav sein.«

Und genauso fühlte er sich jetzt, hier im Wartezimmer. Als braver Junge.

»Chuderow, Chuderow, Chuderow, bitte.« Die Stimme klang musikalisch. Parnell hob den Kopf und sah einen Lautsprecher hoch oben an der Wand. Die anderen sahen sich verwirrt um, als wüßten sie nicht genau, wer sie waren. Erst jetzt bemerkte Parnell, wie schwerfällig sie sich bewegten.

»Chuderow. Chuderow. Durch die grüne Tür, bitte. Durch die grüne Tür, bitte.«

Die grauhaarige Frau ächzte und stand auf.

»Ich bin Chuderow«, sagte sie. »Ich bin Chuderow.« Dann wankte sie zur Tür, die vor ihr aufglitt. Sie verschwand, und alle Augen starrten auf die Tür, die sich wieder geschlossen hatte.

Parnell hatte einen Kratzer an der Wand hinter seinem Stuhl entdeckt. Er schabte mit den Fingernägeln, und die Holzimitiationstapete löste sich in einem schmalen Streifen ab. Der Mann neben Parnell, der steif dasaß und angstvolle Augen hatte, sah ihm argwöhnisch zu.

»Na so was«, meinte Parnell grinsend. Er riß einen Fetzen ab.

Der Mann betrachtete das Papier, starrte auf den Streifen Betonwand, biß sich auf die Unterlippe.

»Kein Holz«, sagte er vorsichtig. »Sieht nur so aus.«

»Schwindel«, erklärte Parnell.

»Schwindel?« Der Mann sah ihn an. »Ich heiße Truett.« Plötzlich gestand er: »Ich mache mir Sorgen wegen der Tests.«

»Warum?«

»Ich weiß nicht.«

»Weil es Tests sind?«

»Ja. Ich mache mir Sorgen.«

Parnell wurde als dritter aufgerufen.

»Erwarten Sie nicht das Gelobte Land, wenn Sie durch die Tür gehen«, hatte Korman gewarnt. »Zuerst kommt die Bürokratie.«

Sie bestand aus einer Reihe asketischer Büros und zu freundlicher Angestellter, die ihm ein Quartier zuwiesen, Broschüren aushändigten, ihn über die Einrichtungen und Beschränkungen im Bereich A informierten, ihn fotografierten, mit Sensoren für die drei Overalls aus einem Stück vermaßen, die ihn in seinem Quartier erwarten würden, und schließlich eine Ausweisplakette ausstellten, auf der sein ungeduldiges Feixen deutlich erkennbar war.

Die Kameras waren computergesteuert und klickten eifrig, während der aufzunehmenden Person gegenüber elektronische Anweisungen aufleuchteten. ›Kopf nach rechts‹, ›Kopf nach links‹, ›Auf dieses Licht blicken‹. Der Leiter der Ausweisabteilung rückte die Köpfe mit eigener Hand zurecht, sah aber betroffen drein, als Parnell seine Hände wegschob und ihn anfauchte: »Ich kann lesen.«

Die Tests wurden in einzelnen, kanzelähnlichen Geräten aus Formsitz, eingebauter Kamera, einer Anzahl von Reaktionstasten und einer Plastikhülle über dem Bildschirm durchgeführt. Parnell ließ sich nieder, sah die Reihe entlang und entdeckte, daß die Hülle Schwindelversuche unterbinden sollte.

Es gab einige Verwirrung, als Parnell fertig war. Ein freundlicher junger Mann mit dunklem, schütterem Haar kam mit bekümmertem Lächeln auf ihn zu.

»Haben wir ein Problem?« erkundigte er sich.

»Nein, wir haben kein Problem«, sagte Parnell. »Wir sind fertig.«

Der erstaunte junge Mann erklärte, er sei sicher, daß ›wir uns geirrt hätten‹, daß ›wir auf keinen Fall schon fertig sein könnten‹. Aber dann blickte er auf den Bildschirm. Dort stand ›Test beendet‹.

Der junge Mann glaubte zunächst, Kollegen wollten sich einen Spaß mit ihm erlauben und hätten ihm einen Nicht-Patienten untergeschoben. Erst als er Parnells Ausweisplakette in ein Prüfgerät gesteckt und für echt befunden hatte, kam er zurück, nach wie vor beeindruckt, aber auch verärgert. Er wies Parnell an, sitzen zu bleiben, bis die anderen fertig seien.

Es dauerte noch eine gute Stunde. Die Tests waren für Parnell eine Enttäuschung gewesen, weil sie kaum neue Einsichten boten. Und sie waren lächerlich einfach, nach dem Schema: ›Was bringt Wasser zum Sieden? – A. Regen; B. Hitze; C. Eis.‹

Eine kurze Prüfung in Mathematik lieferte vorübergehend Spannung, aus dem einfachen Grund, daß in den Broschüren bisher von Mathematik nichts erwähnt worden war. Parnell spürte bei den Zahlen eine innere Erregung, gesteigert durch die unbewußte Leichtigkeit, mit der sich die Lösungen einstellten. Einen Augenblick lang erfüllte ihn unbestimmbare Freude; eine grandiose Entdeckung lag in der Luft, aber der mathematische Teil war kurz und binnen Sekunden vorüber.

Das letzte Hindernis war ein Büro für Begabungsauswertung. Hier erfolgte die Arbeitseinteilung. Der Beamte hatte eine hohe Stimme und sprach abgehackt. Er studierte die Testergebnisse und schwieg einige Zeit.

»Ich nehme an, ich werde nicht zum Präsidenten gemacht«, meinte Parnell.

»Was?«

»Zum Präsidenten. Der Vereinigten Staaten.«

»Ach so. Nein, leider nicht. Tja, zu den Tests. Ihr Gesamtergebnis ist durch unseren Eignungscomputer gelaufen. Danach sind Sie Aggakla zugeteilt, wovon Sie gleich mehr hören. Dieser Umschlag hier enthält verschiedene Anweisungen und Hinweise. Eilig ist das aber nicht, weil die nächsten Wochen, wie Sie sicher schon erfahren haben, der Orientierung im Bereich dienen.«

»Aggakla?« sagte Parnell.

»Aggakla?« wiederholte der andere verwirrt. Dann begriff er. »Natürlich! Entschuldigen Sie!« Er beugte sich vor. »›Aggakla‹ ist eine Abkürzung für den vollen Namen Ihrer Abteilung, nämlich ›Agrikultur-Gattungs-Klassifizierung‹.«

»Agrikultur-Gattungs-Klassifizierung?« sagte Parnell verwundert.

»Ich bin überzeugt, daß Ihnen die Arbeit Spaß machen wird. Was stört Sie eigentlich?«

»Ich weiß nicht«, sagte Parnell. »Was habe ich da zu tun?«

»Sie finden die Arbeit sicher anregend«, sagte der Beamte.

»Aber was muß ich machen?«

»Tja, Sie helfen bei der Einteilung und Klassifizierung landwirtschaftlicher Gattungsbegriffe für in Vorbereitung befindliche Register.«

Parnell dachte kurz nach.

»Stimmt das mit den Ergebnissen wirklich?«

Der Beamte sah Parnell ungläubig an.

»Unser Eignungscomputer ist unfehlbar. Weshalb fragen Sie?«

»Ich weiß nicht. Ich dachte nur –«

»Ja?«

»Ich glaube, ich könnte mehr leisten.«

»Zum Beispiel?«

»Ich weiß nicht.«

»Lassen Sie sich gesagt sein, daß der Computer wirklich weiß, was das Beste ist«, sagte der Beamte.

6

Das Zimmer, das so klein wie die Zellen in Primär Eins war, wirkte wie eine Schiffskabine. Zwischen 20.00 Uhr und 07.00 Uhr des folgenden Morgens konnten die Türen nicht geöffnet werden, und Bereich A war eine isolierte, an Unbekanntes grenzende Welt, aber eine Welt voller Menschen und kleiner Abtenteuer, die immer neue Entdeckungen versprachen.

Eine große Entdeckung am nächsten Morgen schon war der Himmel, frische, kalte Luft und Gras unter den Füßen. Parnell und seine Gruppe – zusammen mehrere Dutzend – wurden in einen Aufzug geführt. Man hatte ihnen erklärt, daß sie zu einem Übungsplatz unterwegs seien, aber keiner war auf den riesigen Hofraum vorbereitet, den sie vor sich sahen, als die gewaltigen Türen aufgingen. Über hochragenden Mauern erstreckte sich unbegrenzter blauer Himmel, besetzt mit kleinen Wolken.

Wieder zeigte sich der Widerspruch der Sinne. Er hatte den Himmel vorher schon gesehen, und doch war dies das erste Mal. Er sank auf ein Knie, fuhr mit den Fingern durch das weiche Gras und grub die Nägel in die nachgiebige Erde darunter; seine Bewegungen verrieten ursprüngliche Verwirrung und freudige Rückkehr zugleich.

Der Hofraum war ein Park mit abgeteilten Erholungs- und Sportanlagen. Es gab Baseballplätze, Fußballfelder, Basketballplätze, Anlagen für weniger anstrengende Sportarten, Steintische mit Spielbrettern; in einem Teil schlängelte sich ein Bach an Bäumen, Bänken und Wiesen vorbei, hier und dort von winzigen Brücken überspannt.

Die vielfältigen Einrichtungen waren jedoch kaum für Durchgangspatienten allein bestimmt. Der Hofraum stand dem ganzen Komplex zur Verfügung.

Man organisierte Spiele, aber sie gingen Parnell zu langsam. Um einen der Ballspielplätze verlief eine Aschenbahn, und er schlenderte darauf zu. Eine Gruppe von Durchgangspatienten wurde von einem Aufseher zu Lockerungsübungen angehalten, bevor er sie auf die Bahn führte.

»Auf die Plätze!« befahl der Aufseher, und Parnell fiel plötzlich die krampfartige Ungeschicklichkeit der Leute auf. Er kam schlagartig auf den Gedanken, daß vielleicht auch seine eigene Körperbeherrschung mangelhaft sein mochte. Einen Augenblick blieb er am Rand der Bahn stehen, dann sagte er laut: »Ach was«, und begann zu laufen.

Es ging erstaunlich flüssig. Er brachte die ersten zögernden Schritte hinter sich und lief dann mit langen, leichten Schritten, Arme und Beine in flottem Rhythmus, um die Bahn. Die Luft wurde knapp, aber er lief weiter und pumpte Luft in sich hinein, bis auch das mühelos ging. Dann lief er Runde um Runde.

Mit der Zeit bemerkte er, daß er beobachtet wurde. Rings um die Bahn starrten ihm die Durchgangspatienten in hilflosem Neid nach. Ein paar von den Aufsehern beobachteten ihn ebenfalls, und in einer Kurve erkannte er das Mädchen, das er beim Verlassen des Büros gesehen hatte. Sie betrachtete ihn konzentriert, völlig regungslos, während ihr kurzes Haar im Wind flatterte. Dann wandte sie sich schnell ab, und Parnell stampfte schneller um die Bahn, aber das Mädchen war fort, als er die Stelle wieder erreichte.

Sein Atem kam jetzt heiß und stoßend. Parnell wurde langsamer und warf sich auf das weiche, süßriechende Gras, lauschte mit seltsamer Befriedigung dem Klopfen seines Herzens wie aus den Tiefen der Erde.

Einer der Aufseher trat zu ihm.

»Fühlen Sie sich nicht wohl?« fragte er besorgt.

Parnell drehte sich herum und grinste.

»Doch, großartig«, keuchte er.

Der Aufseher nickte erleichtert.

»Der erste Tag«, warnte er. »Lieber vorsichtig sein.«

Parnell blieb geraume Zeit im Gras liegen. Schließlich machte sich die enorme Wirklichkeit der Mauer um den Hofraum geltend. Bis zu diesem Augenblick war sie seltsamerweise nur eine Abgrenzung für Grasfläche und Himmel gewesen. Jetzt schien sie in ungeheurer Proportion emporzuragen. Der Riesenklotz des Komplexes überragte natürlich alles andere, aber der Komplex hatte eine Funktion, er barg Menschen, die Aufgaben erfüllten, wozu sie Raum zum Arbeiten und Leben brauchten.

Aber die Mauer. Wozu existierte sie? Die Frage selbst erschreckte Parnell. Er verfolgte die Mauer von der Grundlinie am anderen Ende des Komplexes zum abrupten rechten Winkel und dann zurück die ganze flankierende Länge, vorbei an den Anlagen zum gegenüberliegenden Endpunkt auf dieser Seite des Komplexes.

Dabei machte er eine Entdeckung. In regelmäßigen Abständen waren auf der Mauerkrone seltsam geformte, kunststoffartige Kuppeln verstreut. Selbst die nächstgelegene war ziemlich weit entfernt, aber Parnell beschattete die Augen und starrte angestrengt hinüber. Endlich entdeckte er Bewegung; die Kuppeln waren besetzt. Wachttürme also. Doch ein Gefängnis?

Später lief Parnell wieder die Bahn entlang. Er entdeckte das Mädchen sofort. Sie spielte Softball und bemerke ihn nicht, als er auf sie zuging. Er blieb hinter ihr stehen und zögerte. Dann sah sie ihn und wandte sich verwirrt ab. Parnell lächelte und sagte: »Sind Sie neu?«

In ihrem Gesicht spiegelte sich Angst.

»Warum fragen Sie?« gab sie schließlich zurück.

»Weil Sie mich beobachtet haben. Als ich vorhin lief. Und Sie haben weggesehen – wie jetzt eben. Von den anderen hat niemand weggesehen. Sie tun es nie, wenn man mit ihnen spricht. Sie starren einen an wie Kinder.«

Sie schien ihre Fassung wiedergefunden zu haben und richtete sich auf.

»Sie gehören zu der Gruppe dort drüben, nicht?«

»Ja.«

»Sie brauchen nicht so überheblich zu tun. Es gibt noch andere, die genauso fortgeschritten sind wie Sie.«

»Sie?«

»Offen gesagt, ja.«

»Deshalb wollte ich ja mit Ihnen reden«, gestand Parnell.

»Weshalb?«

»Ein Gesprächspartner. Sie haben meine Frage nicht beantwortet.«

Sie zuckte die Achseln.

»Natürlich bin ich neu. Können Sie die Aufseher nicht von den anderen unterscheiden? Sie haben Abzeichen an den Ärmeln.«

»Danke«, sagte Parnell, aber seine Augen verrieten noch etwas anderes als Belustigung.

»Sie haben auch gestarrt, wissen Sie das?« sagte sie gereizt.

»Zuerst war es Ihr Gesicht, jetzt ist es Ihre Stimme«, meinte Parnell. »Ich habe immer wieder das Gefühl –«

»Daß Sie mich kennen?«

»Sozusagen«, gab er zu. »Nicht wirklich, nehme ich an – aber sozusagen.«

Sie erstickte seine Unsicherheit mit einem toleranten Lächeln.

»Das kommt anfangs oft vor. Das erlebt jeder.«

»Oh«, sagte Parnell. Ganz beiläufig hatte sie einen Weg in die Vergangenheit versperrt. Er bückte sich und riß einen Grashalm aus, um seine Enttäuschung zu verbergen.

»Ich habe Sie aber wirklich beobachtet«, räumte sie plötzlich ein. »Ich hätte nicht gedacht, daß Sie neu sind.«

»Bin ich aber.«

Sie sah zu seiner Gruppe hinüber.

»Sie sind ihnen Monate voraus. Wahrscheinlich wird man Sie rasch befördern.«

»Wohin?«

»In ein fortgeschrittenes Sektorenzentrum, nehme ich an. Dahin kommen wir von hier aus.«

»Und danach?«

»Dort«, sagte sie und blickte über den Drahtzaun.

»Und was dann?«

»Wie meinen Sie das?«

»Ist das das Ende des Regenbogens?«

Sie wirkte betroffen.

»Was haben Sie erwartet?«

»Ich weiß nicht.« Er wechselte das Thema. »Was hatten Sie im Büro zu tun?«

»Ich helfe dort aus«, sagte sie mit einer Spur von Stolz. »In ein paar Wochen komme ich schon ins Fortgeschrittenenzentrum.«

Parnell spürte plötzlich eine merkwürdige Melancholie. Er begriff mit einemmal, daß er einsam war.

»Haben Sie etwas?« fragte sie.

Er runzelte die Stirn und nahm sich zusammen.

»Weshalb fragen mich das eigentlich alle?«

Sie lächelte.

»Hier fragt jeder jeden, ob es ihm gutgeht.«

»Hören Sie –«, begann er.

»Ja?«

»Himmel noch mal«, sagte er unentschlossen.

Er brachte es nicht heraus. Einer der Aufseher kam und winkte ihm.

»Sie sollen hinübergehen«, meinte sie leise.

Er nickte und wandte sich abrupt ab. Er hatte vergessen, sie nach ihrem Namen zu fragen.

7

Es dauerte drei Tage, bis er sie wiedersah. Sie saß an einem der vielen in Reih und Glied aufgestellten Tische, die bei gutem Wetter vor der Cafeteria standen. Parnell setzte sich zu ihr und tat so, als bemerke er ihre Überraschung nicht, während er sein kleines, in Folie verpacktes Mittagessen auf den Tisch warf.

»Möchte wissen, warum das Cafeteria heißt. Einer drückt einem das Päckchen in die Hand, und man ißt oder hungert.« Er lächelte, als bemerke er sie erst jetzt. »Stört es Sie, wenn ich hier sitze?«

»Nein.«

»Ich habe Sie gesucht.«

»Ich hatte zu tun. Im Büro.«

»Sehr rücksichtslos von Ihnen. Ich hatte niemanden zum Spielen.« Sie lächelte schwach, und er sagte: »Hören Sie – man hat mir erklärt, daß ich Parnell heiße. Alex Parnell.«

»Sie scheinen nicht sehr überzeugt zu sein.«

»Ich höre und gehorche«, meinte er spöttisch. »Also Parnell.«

»Ich heiße Julia.« Sie sah ihn verwirrt an. »Was gefällt Ihnen an Ihrem Namen nicht?«

»Er mißfällt mir nicht gerade, ich habe nur keine Beziehung zu ihm.«

»Ach so. Na, das ist normal. Es dauert seine Zeit. Alles dauert seine Zeit, wenn man neu ist.«

»Ich wollte neulich mit Ihnen reden, Sie einiges fragen –«

»Was zum Beispiel?«

Er hob hilflos die Hand.

»Was hat das alles zu bedeuten?«

Sie schüttelte den Kopf.

»Ich verstehe Sie nicht.«

»Alles. Der Komplex. Dieser Hofraum. Was wir sind. Wohin wir gehen –« Er verstummte.

»Haben Sie die Broschüren mit den Hinweisen nicht gelesen?«

Parnell war wie vor den Kopf geschlagen. War es möglich, daß sie nicht begriffen hatte, worauf er hinauswollte?

»Verstehen Sie nicht, was ich sage?« fragte er sie.

»Nein, leider nicht.«

»Aber, verflixt noch mal – haben Sie denn überhaupt keine Fragen?«

»Nein. Weshalb auch?«

Parnell starrte sie ungläubig an.

»Was stört Sie denn so?« meinte sie mitfühlend.

»Das«, fauchte Parnell. »Ich brauche Ihre gottverdammte Nächstenliebe nicht.«

»Sie brauchen nicht so zornig zu werden. Ich verstehe wirklich nicht, was Sie sagen wollen.«

Er nickte – mehr, um sich selbst zu zügeln.

»Also gut«, sagte er und zwang sich sogar ein Lächeln ab. »Fangen wir von vorne an. Woher kommen Sie?«

Es war ganz arglos gesagt, und sie mußten beide plötzlich lachen.

»Denken Sie nach, Julia«, drängte Parnell. »Das war doch eine legitime Frage. Woher kommen wir? Sind Sie nicht neugierig?«

»Aber das weiß ich bereits«, erwiderte sie ruhig. »Wir sind

krank gewesen und behandelt worden. Jetzt besitzen wir eine neue Identität und ein neues Leben. Das ist alles.«

»Sind Sie denn nicht neugierig auf die Vergangenheit, Julia? Darauf, was Sie gewesen sind? Was Sie krank gemacht hat?« Er machte eine ungeduldige Geste. »Und die anderen Leute hier, auch diejenigen, von denen wir gar nichts wissen? Wollen Sie nicht herausfinden, was dahintersteckt?«

»Natürlich nicht«, sagte Julia.

»Warum nicht?«

»Weil mich die Vergangenheit nicht interessiert, nur die Zukunft.« Sie sah ihn an. »Alex, hören Sie zu. Das ist ein Ort, wo ich gesund werde, wo ich in Sicherheit bin. Ich will nicht wissen, was hinter der Mauer liegt, weil ich hier geschützt bin. Das bedeutet es, neu zu sein – etwas Schreckliches und Zerstörerisches aus seiner Vergangenheit weggefegt zu haben. Begreifen Sie denn nicht, Alex? Da unterscheiden wir uns. Da unterscheiden Sie sich von allen anderen hier. Das Gefängnis ist Ihr Gemüt.«

Parnell sah sie an.

»Wir sind keine Schafe. Wir sind menschliche Wesen. Wir können selbständig denken!«

Sein Ausbruch veranlaßte die Leute an den Nachbartischen, sich umzudrehen.

Julia schien verlegen zu werden. »Alex – Sie regen sich auf.

Parnell schob die verpackte Konzentratsmahlzeit weg und stand auf. »Ich will Bescheid wissen«, sagte er.

»Dann wollen Sie sich selbst zerstören«, sagte Julia mit ruhiger, hilfloser Überzeugung.

8

Julias Warnung trug nur dazu bei, die Feder stärker zu spannen. Ein Zorn, der sich den ganzen Tag aufgestaut hatte, wurde zu wildem Trotz, als der Zapfenstreich kam. Die Lampen flackerten zur Mahnung, die Tür schloß sich allwissend. Eine hoffnungslose Idee, mit der er seit Stunden gespielt hatte, kristallisierte plötzlich zur Entscheidung. Heute nacht würde er auf irgendeine Weise herausfinden, was hinter den Mauern des Komplexes lag.

Er warf einen Blick auf den S-förmigen Stab an der Wand. Er diente offenkundig als Wandschmuck und spiegelte in vielen Farben, aber Parnell hatte hinter der Plastikoberfläche ein Kameraauge entdeckt. In zehn Minuten würde man im Bereich A schlafen; er mußte sich darauf verlassen, daß die Überwachung mit dem Erlöschen der Lichter endete.

Auf jeden Fall würde er bald Bescheid wissen – der Wandschmuck war für seinen Plan entscheidend.

Während er wartete, lieferte er dem Auge ein harmloses Bild, indem er in ›Das Zeitalter der Dinosaurier‹ blätterte, einem Band, den er sich am Nachmittag aus der Bücherei geholt hatte. Er war großgedruckt und reich illustriert – die Antwort des Bibliothekars auf seine Bitte nach einem Geschichtswerk. Solche Bücher gab es im Bereich A nicht, aber Parnell wußte, daß sie irgendwo vorhanden sein mußten, weil es die Geschichte gab. In seinem Gehirn gab. Abstrakte Figuren einer fernen Vergangenheit waren in letzter Zeit in seiner Erinnerung aufgetaucht, umrißlose Bilder vor einem riesigen, leeren Mosaik. Karl der Große. Ein bärtiger Patriarch. Das Heilige Römische Reich. Roland und Roncevalles. Und dann nichts. Wilhelm der Eroberer. England. Lücke. Cäsar. Gallien zerfällt in drei Teile. Die Iden des März. Lücke. Und andere Fragmente, form- und stofflos, launische Botschafter aus der Unterwelt seines verborgenen Seins. Sie waren seltsam unbefriedigend. Sie verrieten ihm nichts von der Beinahe-Vergangenheit, nichts von der Gegenwart, nichts über ihn selbst.

Seine Gedanken wurden unterbrochen, als sich die Lampen rheostatisch zu ihrem nächtlichen Glimmen trübten. Parnell streckte sich auf dem Bett aus und blieb lange regungslos liegen. Dann stand er lautlos auf und schlich zu dem S-förmigen Stab. Er war fest an der Wand verankert, und Parnells einziges Werkzeug war ein Schreibstift, aber aus einer harten Legierung, die stärker war als der Hohlziegel hinter dem Stab. Er löste sich endlich knirschend aus der Wand, und Parnell starrte in ein winziges Objektiv.

Na bitte, dachte er. Wenn jemand zusah, war es am besten, das möglichst schnell festzustellen. Er hob den Daumen an die Nase und bewegte die Finger hin und her. Dann drehte er sich um, lehnte sich an die Wand und wartete.

Nichts geschah. Als feststand, daß niemand empört in sein Zimmer stürmen würde, befaßte sich Parnell mit der Tür. Der S-förmige Stab war fast einen Meter lang und ganz dünn, und die Tür stellte kein Problem dar; mit einem Ende des Stabs konnte er die Tür unten herausstemmen und den Sperrmechanismus ausklinken. Jetzt konnte die Tür von Hand bedient werden. Parnell schob sie auf und schaute in den Flur. Gut beleuchtet in unmittelbarer Nähe, dunkler dahinter, glich der Flur in seiner schimmernden Länge dem Innern eines Waldhorns, sanft-goldene Tönung, verdunkelt zu einer schwarzen Öffnung. Auf dem Korridor war es still. In der Ferne summte ein Generator, verstummte wieder.

Parnell ließ die Tür einen Spalt offen und trat hinaus. An der ersten Kreuzung bog er rechts ab, dann links und noch einmal rechts – der bekannte Weg vorbei am Sektorenzentrum, einem großen, nabenartigen Areal, von dem aus sich Korridore wie Radspeichen erstreckten. Hier gab es verschiedene Einrichtungn – Cafeteria, Wäschereien, Bücherei und Leseräume, Aufenthaltsräume und Turnsaal. Die neuen Durchgangspatienten schienen nicht zu wissen, daß die Sektorenzentren Präsidentennamen trugen. Dieses hier zum Beispiel hieß Pierce.

In der Zelle in Nabenmitte döste ein einzelner Aufseher. Parnell schob sich an der gewölbten Wand entlang, bis er den breiten, zu den Aufzügen führenden Korridor erreichte, ohne gesehen zu werden. Niemand tauchte auf, und er fuhr mit dem Schnellzug nach oben.

Die Tür ging auf, Parnell trat hinaus und stand einem Aufseher gegenüber. Er nickte kurz und wollte an ihm vorbei, aber es war zu spät. Der Mann hatte den abzeichenlosen Ärmel gesehen und reagierte verblüfft.

»Halt!«

Parnell drehte sich mit gespielter Verärgerung um.

»Was ist denn?«

»Sind Sie Durchgangspatient? Sie dürfen nach dem Zapfenstreich den Sektor nicht verlassen.«

»Sehe ich etwa aus wie einer?«

»Tja, hm – ich meine, ich sehe kein Abzeichen.«

»Nein, Sie sehen kein Abzeichen. Drüben in Madison hat es einen Rohrbruch gegeben, und ich bin tropfnaß geworden. Wollen Sie sonst noch was?«

Der Aufseher zuckte die Achseln und drehte sich um; Parnells herrische Art paßte nicht zu einem Durchgangspatienten.

Parnell ging durch das Vestibül, das zum Hofraum führte, und sah zum erstenmal den Nachthimmel. Die Sterne waren ein Schock für ihn; er hatte sie einfach nicht erwartet. Einen Augenblick lang erfüllten sie ihn mit atemloser Freude – so sehr, daß er zunächst einen kreisenden Lichtstrahl von einer der Kuppeln nicht wahrnahm. Parnell warf sich im letzten Augenblick nach hinten, an das Gebäude, und der Lichtstrahl glitt vorbei. Erst jetzt fiel ihm auf, daß der leere Hofraum regelmäßig von Lichtstrahlen bestrichen wurde, die hoch oben von der Mauer ausgingen. Mit einemmal ging ihm auf, daß die Lichtstrahlen computergesteuert sein mußten, vermutlich über Vergrößerungsmonitore in den Kuppeln.

Die Leere des riesigen Hofraums wirkte eigenartig. Er war allein in der leeren Stille und fühlte sich sekundenlang unsicher in den Schatten des ungeheuren Komplexes und der hochragenden Mauern, die ihn umgaben.

Dann ging es vorbei, und er schlich unten an der Mauer entlang, bis er nah genug herangekommen war, um das schwache Leuchten in einer der Beobachtungskuppeln ausmachen zu können. Kurz danach fand er einen Eingang ins Innere der Mauer. Dieser führte zu einem kleinen Aufzug, dahinter befand sich eine schmale Treppe. Parnell stieg hinauf, endlos im Kreis.

Die Kuppeln waren viel größer, als sie von unten aussahen. Auf einem brusthohen Fundament hatte man große, durchsichtige Kuppeln angebracht. Darin befanden sich Geräte und Instrumente, rundherum Monitore und Computerfassaden. Bewacht wurde das Ganze von einem einzelnen Mann, einem stämmigen Aufseher, der mit dem Rücken zu Parnell stand, als dieser heraufkam.

Parnell entdeckte nebenan einen Raum mit Sesseln und einem Sofa. Als der Mann hinter einer dicken Instrumentensäule verschwand, schlich Parnell über den freien Platz, vorbei an der Trennwand.

Seine Augen weiteten sich vor Überraschung. Ein zweiter Bewacher saß vor ihm in einem Sessel und las eine Zeitschrift. So unerwartet war ihr Zusammentreffen, daß sie beide sekundenlang erstarrten.

»Was –«

Der Wächter sprang auf und ging erbost auf Parnell zu, der sich aber schon gefaßt hatte und seine Faust in das Gesicht des anderen krachen ließ.

Der Mann schnappte erstaunt nach Luft, sackte zusammen und blieb liegen.

Parnell schaute besorgt zu der Instrumentenanlage hinüber; der andere Bewacher war nicht zu sehen. Er hatte offenbar nichts gehört.

Parnell hastete zur anderen Seite der Kuppel. Seine Augen brauchten eine Weile, um sich anzupassen. Ein Scheinwerfersystem überflutete das Gebiet jenseits der Mauer fast einen halben Kilometer weit mit Licht. Dann griffen weitreichende Suchscheinwerfer ein.

Parnell wies das Bild ab. Es war zu unfaßbar, als daß er es auf einmal verkraften konnte. Er schloß die Augen, öffnete sie wieder und erwartete, es nicht mehr vorzufinden – wie die Szenen, die er durch das ›Fenster‹ in seinem Zimmer ein- und ausschalten konnte.

Die Welt jenseits der Mauer war ein grenzenloses Meer von Schutt.

Er reichte, so weit man sehen konnte, Ebbe und Flut unendlicher Zerstörung, stumpf und leblos wie die Oberfläche eines erloschenen Sterns. Unter einem vorbeihuschenden Lichtstrahl blinkte kurz in der Ferne Metall auf. Dann war alles weggewischt, und seinen betäubten Augen bot sich ein neues Bild.

Er blickte aus einiger Entfernung zurück durch Glastüren. Sie standen offen, und der Wind wehte hindurch; durchsichtige, weiße Gardinen bauschten sich sanft, und hinter ihnen schimmerte das Licht einer einzelnen Lampe. Die Vorhänge öffneten sich im Wind, und er konnte das Licht deutlich sehen – eine flackernde Straßenlaterne. Sie wölbte sich elegant auf einem langen Metallmast, der unter dem Fenster verschwand.

Hinter der Lampe blühten Bäume. Ihr Laub raschelte leise.

Das Bild war ebenso plötzlich wieder verschwunden. Parnell starrte auf die Wüstenei hinaus, und eine zornige Stimme hämmerte auf sein Bewußtsein ein.

Er drehte sich langsam um. Erst nach einiger Zeit nahm er das erboste Gesicht des Mannes wahr, den er niedergeschlagen hatte. Der Bewacher hielt eine Schußwaffe in beiden Händen und brüllte: »Keine Bewegung, Saukerl, sonst lege ich dich um!«

9

Der Sicherheitsbeamte, ein kleiner, dicker Mann mit buschigen Brauen, ließ seinem Zorn freien Lauf, als Korman eintraf.

»Ich lasse nicht zu, daß meine Leute überfallen werden, Doktor. Ohne diese Ausweisplakette hätte ich gute Lust gehabt, mich zu revanchieren.«

»Wen haben Sie noch verständigt?« fragte Korman.

»Wen? Nur Sie, Sir. Das war der einzige Name, der auftauchte, als ich die Plakette in den Entschlüßler steckte. Hätte ich noch jemanden unterrichten sollen?«

»Nein, nein, durchaus nicht. Ich erledige das schon, Captain.« Korman verbarg seine Erleichterung.

Man hielt Parnell in einem Besprechungszimmer fest. Neben der Tür saß ein Bewacher. Als Korman und der Captain hereinkamen, machte Parnell zum erstenmal ein betroffenes Gesicht.

»Ich kenne mich nicht aus«, sagte er zu Korman. »Die mit den Kanonen – sind das Wächter oder auch Aufseher?«

»Halten Sie den Mund, Alex«, sagte Korman.

»Na gut, Vater, ich habe gesündigt. Was machen wir jetzt?«

Korman drehte sich um.

»Ich möchte mit ihm reden, Captain.«

Der Captain nickte und gab dem Posten einen Wink, Sekunden später waren sie verschwunden.

»Was war los?« fauchte Korman.

Parnell sah ihn überrascht an. Korman beugte sich vor.

»Was haben Sie gesehen?« fuhr er ihn an.

»Die andere Seite der Mauer«, sagte er vorsichtig.

»Hören Sie, wir haben jetzt keine Zeit für Spielereien. Ich muß es genau wissen.«

»Ich auch«, sagte Parnell. »Erklären Sie mir, warum die

Welt an diesen Mauern aufhört. Da draußen ist nichts, was man nicht in eine Abfalltonne kehren müßte.«

Kormans Anspannung löste sich ein wenig.

»War da noch etwas? Haben Sie sonst noch etwas gesehen?«

»Ich weiß nicht, worauf Sie hinauswollen«, meinte Parnell. »Ist mir etwas entgangen? Etwas Besonderes?«

Korman atmete auf.

»Es hätte einen Rückfall geben können«, sagte er.

»Wozu? Zu etwas Schlimmerem?« brauste Parnell auf. »Sagen Sie mir endlich, was da gespielt wird.«

»Passen Sie auf, Alex. Was Ihnen auch vorenthalten wurde, es geschah in Ihrem ureigenen Interesse.«

»Quatsch. Seit ich meine Augen in Primär Eins geöffnet habe, ist noch kein ehrliches Wort gesprochen worden. Ich will endlich Bescheid wissen.«

»Der Komplex ist neu –«, sagte Korman verlegen. Er machte eine Pause.

»Das weiß ich. Es steht in den Broschüren. Der Komplex ist neu; er ist die Hauptstadt des Landes. Was niemand erwähnt hat, ist, daß es kein Land gibt. Nur ein Gebäude. Nur dieses eine gottverfluchte Gebäude.«

»Sie irren sich. Da draußen gibt es viel mehr. Zum einen schon einmal Dutzende von Komplexen. Der hier ist zufällig die Hauptstadt. Das Land wird von hier aus gelenkt.«

»Was, zum Teufel, war da draußen?«

»Eine Stadt«, sagte Korman schließlich. »Washington. Die Hauptstadt. Die neue Hauptstadt – dieser Komplex – ist über der alten Stadt errichtet worden.« Er brachte die Worte müde und stoßweise hervor.

»Weiter.«

»Es gab einen Krieg. Die Stadt ist vernichtet worden. Viele Städte sind zerstört worden.« Wie eingelernt fügte er hinzu: »Aber sie werden wieder aufgebaut. Sie wachsen.«

Parnell sah betroffen vor sich hin. Krieg, seine Bedeutung, sein Bild waren ganz neu und überwältigend. Die plötzliche Verbindung von Krieg und Zerstörung und der Verwüstung, die er mit eigenen Augen gesehen hatte, lähmte ihn.

»Warum?« flüsterte er. Und plötzlich begriff er. »Die Menschen sind das gewesen.«

46

Korman beobachtete ihn wie ein Habicht, beinahe angstvoll.

»Alex – ich muß es wissen! Wenn Sie wieder zurückkehren, muß ich es sofort wissen.«

»Zurückkehren wohin?«

»Zum Krieg. Wenn Sie sich an irgend etwas erinnern, müssen Sie es mir sagen.«

»Der Krieg ist es gewesen«, sagte Parnell dumpf. »Deshalb sind wir neu. Darum geht es bei dieser Behandlung, nicht wahr, Doktor?«

Korman ignorierte die Frage.

»Hören Sie mir zu, Alex«, drängte er. »Erinnern Sie sich an irgend etwas? *Irgend etwas?*«

»Geht es nicht allein darum, Doktor?« fragte Parnell störrisch.

»Ja«, sagte Korman gereizt. »Darum geht es. In Ordnung? Also – ich will jetzt wissen, ob Sie sich an etwas erinnern!«

Für den Bruchteil einer Sekunde wollte ihm Parnell von den Glastüren, den Vorhängen, der Straßenlaterne, den blühenden Bäumen erzählen. Korman starrte ihn an. Parnell schüttelte den Kopf.

»An nichts«, sagte er. »An gar nichts.«

»Na schön«, meinte Korman. »Wir haben also Glück gehabt.«

»Was sollte ich denn wissen, Doc?«

»Nichts«, knurrte Korman. »Sie wissen jetzt schon zuviel. Bevor Sie bereit dafür sind. Es hätte Sie vernichten können.«

»Das passiert, wenn man sich erinnert?«

»Es ist ein klares Anzeichen für einen Rückfall«, sagte Korman. »Gewöhnlich bedeutet es, daß das Gehirn zerfällt. Es endet, wo es angefangen hat. Nur können wir ein zweites Mal nicht die Scherben aufsammeln. Muß ich mich noch deutlicher ausdrücken, Alex?«

»Nein.«

Korman nickte. Er sah zur Tür.

»Ich sorge dafür, daß wir hier hinauskommen.«

»Noch eines –«

»Ich beantworte keine Fragen mehr«, fuhr Korman auf. »Ich habe genug für eine Nacht.«

Parnell wartete ein paar Sekunden, dann fragte er beinahe beiläufig: »Wer hat gewonnen?«

Korman schaute sich müde nach ihm um.

»Wer weiß das schon?« fragte er gereizt und ging zur Tür.

Es war nicht vorbei und abgeschlossen, wie Korman schon gehofft hatte. Um 07.00 Uhr am folgenden Morgen schreckte ihn Hayleys Anruf aus dem Schlaf.

»Ich möchte Sie hier sehen«, sagte er und legte auf. Korman wußte, daß es, weit davon entfernt, zu enden, kaum erst angefangen hatte.

Es war sein erster Besuch in Hayleys Büro seit über einem Jahr. Korman mußte fünfzehn Minuten warten, und in Hayleys Augen war nichts von Gelassenheit, als er endlich eintreten konnte.

Es gab keine Begrüßung.

»Gibt es einen Rückfallfaktor?« fuhr ihn Hayley sofort an.

»Das glaube ich nicht.«

»Können Sie sich nicht deutlicher ausdrücken?«

»Nein, Doktor. Wenn Sie Zweifel haben, schlage ich vor, daß Sie selbst mit ihm sprechen.«

»Dann vermuten Sie also keine abweichende Reaktion.«

»Nein. Möglich ist sie natürlich immer. Vor allem bei jemandem wie Parnell. Ich glaube es aber nicht, vor allem fehlte die Schockwirkung.«

Hayley nickte zerstreut.

»Ja, das ist wahr. Sie wäre schwer zu verbergen – selbst bei einem Dreißig-Minuten-Unterschied. Was haben Sie ihm gesagt?«

»Die Wahrheit.«

Hayley hob erschrocken den Kopf.

»War das notwendig?«

»Ich denke schon«, meinte Korman gleichmütig. »Der Mann war am Rande der Assoziation. Das konnte ich nicht zulassen.«

»In welcher Beziehung, Doktor?« Hayleys Gesicht hatte einen gequälten Ausdruck angenommen. »Ich begreife nicht, welchen Sinn es haben soll, wenn Sie die Lücke ausfüllen.«

»In der Beziehung, Doktor, daß wir es mit einem außerordentlich scharfsinnigen Menschen zu tun haben, der die von mir repräsentierte Autorität von Anfang an mit Argwohn betrachtet hat. Nach meiner Meinung hätte alles andere als die Wahrheit auf die Dauer eine viel schädlichere Wirkung.«

Hayley sah vor sich hin.

»Vielleicht haben Sie recht. Aber –« Er machte eine Pause.

»Ja?«

»Solche Vorfälle darf es nicht mehr geben.« Hayley hustete, ein ominöses Signal. Korman hob die Schultern.

»Woran denken Sie, Doktor?«

»Ich vermute, daß der Bereich A eine unnötige Herausforderung ist. Jede weitere Orientierung scheint jedenfalls sinnlos zu sein. Ich habe deshalb beschlossen, ihn seiner Arbeit im Bereich B zuzuteilen. Ende dieser Woche.«

Korman hatte mit Schlimmerem gerechnet, aber Hayleys willkürliche Entscheidungen ärgerten ihn trotzdem.

»Das gefällt mir nicht«, meinte er.

Hayley zog eine Braue hoch.

»Weshalb nicht?«

»Weil es zu schnell geht. Auf gestern nacht hin wirkt das wie eine Strafe.«

»Wenn man die Sache richtig in die Hand nimmt, gibt es keinen Grund, weshalb die Versetzung als Strafe angesehen werden sollte«, gab Hayley zurück. »Sie soll als Beförderung betrachtet werden. Der Patient ist sich ja bewußt, wie schnell er vorankommt.«

»Das stimmt, aber –« Korman machte eine Pause. »Ich mag Garfield nicht.«

»Es ist nicht strenger als ein anderes Sektorenzentrum.«

»Nein – aber es gibt Feinheiten, und ich fürchte, daß er die Unterschiede wahrnimmt.«

»Das Risiko müssen wir eingehen«, meinte Hayley. »Wir können es nicht verantworten, ihn noch einmal dem Hofraum auszusetzen.«

Korman atmete tief ein und nickte.

»Es gibt wohl keinen anderen Weg.«

»Korman – unsere Wahl ist beschränkt.« Hayley zog ein Päckchen aus der Schreibtischschublade.

»Das ist gestern gekommen. Für Ihre Abteilung.«

Korman nahm das Päckchen mit einem kurzen Nicken entgegen, nicht nur, weil er sich ärgerte, sondern auch deshalb, weil Hayley wichtige Drogen manchmal verteilte, als handle es sich um persönliche Geschenke.

Er ging zur Tür. Dort drehte er sich noch einmal um und fragte: »Doktor – wer ist er?«

Hayleys Gesicht wurde fahl.

»Was meinen Sie damit?«

»Parnell ist mehr als ein medizinisches Phänomen, Doktor. Wer ist er? Wer war er?«

Hayley kniff die Augen zusammen.

»Sie lassen Ihrer Phantasie die Zügel schießen, Korman.«

»Das finde ich nicht. Ich glaube nicht daran, daß Parnell ein Opfer des Kompressionsfaktors war. Seine Zerrüttung scheint mir andere Ursachen zu haben. Ich hatte von Anfang an ein sonderbares Gefühl bei ihm und spürte, daß er anders ist. Die Tatsache, daß ich jetzt hier stehe, deutet ebenfalls darauf hin.«

»Ich verstehe Sie nicht«, sagte Hayley.

»Theoretisch dürften Sie von dem Vorfall gestern nacht gar nichts wissen, Doktor. Ich hatte nicht die Absicht, Sie einzuweihen. Aber Sie wissen trotzdem Bescheid. Das heißt also, daß Sie eine Überwachungsnotiz bekommen haben. Und da mir der betroffene Captain erklärte, ich sei der einzige, der verständigt worden sei, kann ich daraus nur schließen, daß Sie insgeheim auf Parnells Ausweisplakette verschlüsselt sind.«

Hayley wurde rot.

»Sie scheinen sich auf dem Gebiet der Sicherheit gut auszukennen, Korman«, sagte er ätzend.

»Ich glaube, ich habe ein Recht darauf, Bescheid zu wissen.«

Hayley stand auf und preßte die Fingerknöchel auf den Schreibtisch.

»Sie haben einen Fehler gemacht, Doktor.«

»Mag sein«, sagte Korman.

Hayley richtete sich auf.

»Natürlich bin ich unterrichtet worden«, gab er zu. »Diese Heimlichkeiten, die Sie erdichtet haben, gibt es aber nicht. Ich habe den Patienten überwacht, ja – aber aus keinem anderen Grund als dem, den Sie so schnell abtun: weil er ein medizinisches Phänomen ist. Ich hoffe, die Beobachtungen eines Tages nutzbringend anwenden zu können.«

Korman wußte, daß es keinen Zweck mehr hatte. Er nickte, so als akzeptiere er Hayleys Worte, und ging.

Hayley sank in seinen Sessel. Er war müde und rieb sich die Stirn. Kormans Skepsis beunruhigte ihn nicht. Das Problem war Parnell, und er sorgte sich, daß Berichte über den Vorfall nach draußen dringen mochten.

Es war Anne, die das Päckchen öffnete. Es hatte den ganzen Nachmittag unbeachtet auf einem Tisch im Büro gelegen.

Sie sah Korman überrascht an.

»Für Sie.«

Korman zog einen Kunststoffbehälter heraus. Er enthielt Pfeifentabak.

10

Parnell quittierte Kormans allzu fröhliche Mitteilung mit stummer Skepsis. Es fiel schwer, einen Verstoß gegen die Sicherheitsbestimmungen mit einer Belohnung in Einklang zu bringen – und darauf lief hinaus, was Korman sagte: daß er befördert und nach Garfield im Bereich B versetzt werden sollte, wo er seine Arbeit bei Aggakla beginnen würde.

Der Aufseher, der ihn nach Garfield begleitete, war ein großer muskulöser Mann namens Hamish. Er war von Natur aus ein heiterer Mensch, hatte aber Order erhalten, zu schweigen.

Der Aufseher sagte nichts und führte Parnell mit einer Reihe eher komischer Brummlaute und Gesten durch ein Labyrinth von Gängen.

Als sie einen Lift betraten, blieb Parnell plötzlich stehen und sagte: »Wie haben Sie das gemacht, Hamish? Wie sind Sie am Leben geblieben?«

»Ich war im Pazifik stationiert«, entfuhr es Hamish.

»Bei der Marine?«

»Genau. Das war das Richtige.«

»Wie groß ist die Bevölkerung jetzt, Hamish? Im ganzen Land?«

Hamish sah ihn argwöhnisch an.

»O nein, kommt nicht in Frage«, sagte er und blieb

stumm, bis er Parnell in Garfield einem Kollegen übergeben hatte.

Das Zimmer entsprach genau demjenigen, das Parnell in Pierce verlassen hatte, außer daß es keinen seltsam geformten Wandschmuck gab, der als Auge verdächtigt werden konnte.

Es gab noch einen weiteren Unterschied. Die Tür war viel massiver; sie bestand aus zwei einander überlappenden Platten und einem Ersatzsperrmechanismus für den Fall, daß der Strom ausfiel. Der Aufseher, der ihm das mitteilte, verband damit keine Warnung, sondern benahm sich eher wie ein stolzer Hausbesitzer.

»Ich bin eben ein Glückspilz«, meinte Parnell. »In Ihrem Zimmer gibt es die sicher auch, wie?«

»Hm, nein«, sagte der Aufseher verlegen. »Nur für Durchgangspatienten.«

»Nicht da, wo ich herkomme«, gab Parnell zurück.

»Oh. Tja. Garfield bekommt eben immer die neuesten Geräte.«

»Dann habe ich also doch Glück. Passen Sie auf, wenn Sie mit meiner Tür spielen wollen, brauchen Sie nur vorbeizukommen.«

»Vielen Dank«, sagte der Aufseher; er war an das seltsame Verhalten von Durchgangspatienten gewöhnt. »Wir melden uns in Kürze wegen eines Gesprächs mit dem Oberaufseher, und dann beginnt Ihre Arbeit. Noch Fragen?«

»Ich bin neugierig, ob sie anregend ist.«

»Ganz sicher.« Der Aufseher ging zur Tür.

»Und was ist mit dem Hofraum? Wann kommen wir hinaus?«

»Hier unten in Garfield wird der Hofraum nicht benutzt«, erklärte der Aufseher. »Wir haben unsere eigenen Erholungsanlagen.«

»In Garfield kümmert man sich sehr um uns.«

»Allerdings«, meinte der Aufseher stolz. Er ging, und Parnell sah ihm mürrisch nach.

Der Oberaufseher von Aggakla 7 war ein fleißiger Bürokrat mit langem Gesicht und zitronenfarbener Haut. Er setzte Parnell vor eine Konsole in einem winzigen, verglasten Raum, einem von vielen an einem schmalen Korridor. Er

wirkte wie ein aufgezogenes Spielzeug, ganz Gesten und Anweisungen, eine Vorstellung, die Parnell angesichts des engen
Raums als bemerkenswert empfand. Dann verschwand er
und wurde nie mehr gesehen.

Die Glastür schloß sich, die Zelle war plötzlich schall-
dicht, und Parnell starrte auf den dunklen Bildschirm über
der Konsole. Nach einer Weile drehte er den Kopf und
schaute in den Raum schräg gegenüber. Wenn er das Gesicht
an die Glasscheibe preßte, konnte er seinen nächsten Nachbarn an einer Konsole sitzen sehen. Parnell beobachtete ihn
geraume Zeit, aber der Mann rührte sich nicht. Entweder
war er tot, oder in Aggakla 7 arbeitete man mit ungeheurer
Konzentration.

Er wandte sich wieder seiner Konsole zu und drückte die
Haupttaste. Die Konsole begann zu summen. Parnell drückte
eine zweite Taste und begann eine Anzahl von Buchstaben
zu tippen, die sofort auf dem Bildschirm erschienen: ›Parnell‹.

Eine Sekunde später verschwanden die Buchstaben und
wurden durch das Wort ›Nichtannahme‹ ersetzt. Parnell
nahm Anstoß und tippte seinen Namen sofort noch einmal.
Wieder verschwand er, wieder leuchtete ›Nichtannahme‹
auf.

»Wer bist du‹, fragte Parnell.

›Nichtannahme!‹

Parnell grinste und tippte: ›Hilfe bin Gefangener in einer
Anstalt‹

›Nichtannahme‹

›Heiße Parnell bin Amerikaner wohne im Komplex mein
Ziel der Himmel‹

›Nichtannahme‹

›Laßt uns beten‹

»Nichtannahme‹

»Schneller Durchgangspatient wünscht sympathischen
Wächter kennenzulernen Absicht Flucht‹

›Nichtannahme‹

»Wo ist die Herrentoilette‹

›Nichtannahme‹

›Wenn keine Toilette dann Kurzschluß‹

›Nichtannahme‹

›Wann Mittagessen‹

›Nichtannahme‹
›Mal wieder ein gutes Buch gelesen‹
›Nichtannahme‹

Diesmal blinkte das Wort ununterbrochen. Parnell drückte auf die Tasten, aber es nützte nichts. ›Nichtannahme‹ verschwand, der Bildschirm blieb ein, zwei Sekunden dunkel. Dann leuchtete auf: ›Problem angeben‹.

Parnell tippte sofort: ›Verwirrt‹
›Brauche genaue Informationen‹
›Habe keine Informationen‹
›Brauche genaue Informationen‹
›Salz und Brot macht Wangen rot‹
›Brauche genaue Informationen‹
›Du kannst mich mal‹

Der Bildschirm wurde dunkel, der Computer schaltete ab. Eine Minute später erschien ein Mann, der sich als Stellvertretender Oberaufseher vorstellte.

Mit freundlichem Lächeln sagte er: »Ist etwas nicht in Ordnung? Kann ich Ihnen behilflich sein?«

Der Protest war von kurzer Dauer, die Neugier gewann die Oberhand.

Er war vom Stellvertretenden Oberaufseher zu seinem Zimmer zurückbegleitet worden.

»Das kommt häufig vor«, sagte der Mann mitfühlend. »Das ist die Aufregung – das neue Sektorenzentrum, neue Gesichter, neue Aufgaben. Passiert immer wieder.«

»Ich scheine im Haus nicht zu gedeihen«, vertraute ihm Parnell an.

Der Aufseher zeigte wieder Mitgefühl. Hier im Bereich B seien Freizeitstunden kein Vorrecht, sondern eine Gegenleistung für erzielte Arbeitseinheiten. Die Zulassung zum Erholungsbereich wie zur Bücherei, dem Turnsaal und anderen Einrichtungen müsse leider noch zurückgestellt werden.

Parnell grinste.

»Sie Halunke«, sagte er mit widerwilliger Bewunderung.

»Verzeihung?« sagte der Stellvertretende Oberaufseher.

Die Entscheidung war schmerzhaft, aber zu logisch, als daß er ihr hätte ausweichen können. In seinem Zimmer eingesperrt, vermochte er nichts zu erreichen. Er würde ihr Spiel mitspielen müssen, um das seine in Gang zu bringen.

Demzufolge saß er früh am nächsten Morgen wieder an seiner Konsole.

Die Arbeit war nicht gerade eine Herausforderung. Man stellte ein erschöpfendes landwirtschaftliches Register zusammen. Parnell war der Begriff ›Getreide‹ zugeteilt worden. Er mußte mit Bänden neben der Konsole arbeiten und verschiedene Daten über die Vorkriegsproduktion von Weizen, Roggen, Hafer, Mais, Gerste und Sojabohnen entnehmen. Diese Informationen wurden dann zu Querverweisen verarbeitet, im Aggakla-Stil abgekürzt und in den Computer eingegeben.

Parnell vermutete, daß es sich bei dem neuen Register um ein unnützes Doppel handelte, nicht mehr als um Therapie, aber er machte sich an die Arbeit und blieb fünf Stunden an der Konsole. Als sich die Glastür unvermutet öffnete, bemerkte er erstaunt, daß es Zeit zum Mittagessen war. Er arbeitete noch eine Weile, dann ging er den Korridor entlang zu einer Theke, wo sich seine Kollegen aufgestellt hatten. Er brauchte nicht zu warten. Jemand gab ihm eine Folienpakkung, und Parnell schluckte etwas Geschmackloses, das Eintopf sein sollte, und eilte gleich wieder zu seiner Konsole zurück.

Punkt 16.00 Uhr wurden die Computer abgeschaltet. Parnell lehnte sich zurück. Er war müde, gleichzeitig aber befriedigt. Er ging den langen Korridor zu Garfields Nabe zurück und wurde sich plötzlich bewußt, daß er zum erstenmal, seit er sich erinnern konnte, keinen Führer oder Bewacher hatte. Es war ein angenehmes Gefühl, das aber nur kurz anhielt. Er folgte den anderen Durchgangspatienten den Flur entlang und begriff noch etwas anderes: Er lief den Hinterteilen ebenso vieler Schafe nach. Er gehörte zur Herde.

Er blieb stehen.

»Mein Gott«, flüsterte er angewidert.

Die anderen verschwanden. Parnell zögerte unentschlossen, aber dann fiel ihm der Erholungsbereich ein, und er ging ihnen nach zu den Aufzügen.

Der Erholungsbereich überraschte ihn. Er war klein, nicht überfüllt, gut angelegt. Die Sonne war warm, der Himmel von herrlichem Blau. Mauern waren auch vorhanden, besaßen aber wenig Ähnlichkeit mit den tristen Ungeheuern des Hofraums. Durch eine grabenartige Vertiefung mit Blumenbeeten vom Gelände getrennt, verbargen sie sich hinter unglaublich dichtem Efeu. Es gab auch keinen Drahtzaun, den Parnell dort so gehaßt hatte.

Es war der folgende Tag, die Mittagspause. Parnell aalte sich im Gras in der Sonne. Er hatte Anspruch auf mindetens zwei Stunden und gedachte nicht, sich vor dem Warnsignal zu erheben. Der Stellvertretende Oberaufseher war Schlag zwölf erschienen.

»Ihre Arbeitsleistung ist enorm«, hatte er ihn gelobt und Parnell einen Berechtigungsschein für die Erholungsanlage überreicht. »Ganz unter uns«, hatte er hinzugefügt, »Sie können ruhig ein bißchen langsamer machen. Sie brauchen nur ungefähr ein Drittel der Arbeitsleistung, um die maximale Freizeit zu erhalten.«

Ein Durchgangspatient mit einem Folienpäckchen in der Hand setzte sich in seiner Nähe ins Gras. Der Mann bewegte sich mühelos, und Parnell mußte an Julia denken. Wo konnte sie sein?

»Ich heiße Mackey«, sagte der Mann. Er trug eine Brille mit dicken Gläsern. »Ich bin in Aggakla acht. Mackey.«

»Parnell.«

»Essen Sie nicht?«

»Später.«

»Möchten Sie von mir etwas?«

»Nein, danke.«

»Ich heiße Mackey.« Er lächelte verlegen. »Oh. Das habe ich schon gesagt, nicht wahr?«

»Macht nichts.«

Mackey grinste schief.

»Manchmal vergißt man, wenn man nervös ist.«

»Wie lange sind Sie schon hier, Mackey?«

»Fast drei Monate. Und vorher drei Monate im Bereich A. Und Sie?«

»Zwei Tage.«

»Wirklich? Das ist enorm. Ich habe zehn Tage gebraucht, um überhaupt hier herauszukommen. Die meisten Leute haben es am Anfang schwer.« Er lächelte. »Aber dann denkt man an den Sonnenschein und das Gras, und man findet sich zurecht. Zwei Tage. Sie müssen sehr fortgeschritten sein.«

»Ich habe Talent fürs Büro«, sagte Parnell. Er riß einen Grashalm aus und schob ihn zwischen die Lippen. »Mackey, warum sind Sie nach Garfield geschickt worden? Wissen Sie das?«

Mackey sah ihn verwirrt an.

»Warum?«

»Es ist anders als die übrigen Sektorenzentren, nicht?«

»Das wußte ich nicht. Ich dachte, sie wären alle gleich.«

»Sind Sie nie auf den Gedanken gekommen, daß Garfield etwas Besonderes ist?«

»Nein. Ich dachte, sie wären alle gleich.« Er beugte sich näher heran. »Wo ist der Unterschied?«

»Na, zum Beispiel der Erholungsbereich hier«, sagte Parnell. »Weshalb hat Garfield eine Einrichtung ganz für sich?«

Mackey war enttäuscht. Er schien etwas Aufregenderes erwartet zu haben.

»Viele Sektorenzentren haben ihre eigenen Erholungsbereiche. Wußten Sie das nicht?«

»Nein«, sagte Parnell. Jetzt war auch er enttäuscht.

»O ja. Wir haben aber Glück. Die meisten sind für je zwei Zentren bestimmt, aber wir haben den hier für uns allein.«

»Mackey«, sagte Parnell nach einer Pause, »was, glauben Sie, liegt hinter der Mauer?«

»Hinter der Mauer? Keine Ahnung.«

»Wollen Sie das nicht wissen?«

»Nein. Weshalb auch?«

Parnell spuckte den Grashalm aus. Er schmeckte seltsam scharf.

»Was ist Ihrer Meinung nach hinter der Mauer?« erkundigte sich Mackey.

Die Frage kam unerwartet.

»Wollen Sie es wirklich wissen?« fragte Parnell vorsichtig.

»Ich weiß nicht recht«, gestand Mackey achselzuckend. »Aber wenn Sie es mir sagen wollen, meinetwegen.«

Parnell zögerte. Mackey war zu einer Verantwortung geworden.

»Mackey – wissen Sie, was ein Krieg ist?« forschte Parnell.

Mackey sah ihn listig an.

»Das habe ich mir gedacht.«

»Was haben Sie sich gedacht?«

»Das habe ich schon mal gehört«, sagte Mackey, stolz auf sein Geheimnis. »Ich habe Aufseher mal miteinander reden hören. Sie sprachen von einem Krieg.« Er lächelte. »Ich weiß aber nicht, was das mit der anderen Seite der Mauer zu tun hat. Ist das nicht, wenn die Leute kämpfen oder so?«

»Ja, so ähnlich.«

»Das dachte ich mir«, sagte Mackey befriedigt. Er legte seine Mahlzeit weg. »Immer dasselbe«, rügte er. Er hat schon vergessen, worum es bei unserem Gespräch geht, dachte Parnell.

Ein Aufseher schlenderte heran und winkte.

»Mackey, würden Sie zur Verwaltung hinuntergehen? Man will Sie sprechen.«

Mackey schien zurückzuzucken.

»Ist etwas nicht in Ordnung?« fragte er ängstlich.

»Keine Spur«, sagte der Aufseher freundlich. »Ich glaube, es gibt neue Arbeitszuweisungen, das ist alles.«

Mackey sah den Aufseher verwirrt an, dann grinste er und sprang auf.

»Gute Nachricht«, sagte er lebhaft. »Ich bin schon so lange beim Molkereiwesen, daß es mich langweilt.« Er blickte den Aufseher erwartungsvoll an. Der Mann lachte leise und zwinkerte ihm zu. Dann gingen die beiden gemeinsam zum Eingang zurück.

Parnell schlief im Gras ein. Als er wach wurde, ertönte der Summton. Es war Zeit zurückzugehen. Er öffnete die Augen und starrte in den gelblich-weißen Hexenkessel des Sonnenglasts. Geblendet wandte er den Blick ab, aber er hatte ein unerwartetes Bild mitgenommen – ein seltsames Flackern hinter der gleißenden Sonnenkorona. Er schaute wieder hinauf, aber seine Augen hielten es nicht aus.

Einer der Aufseher trieb Durchgangspatienten zusammen wie ein gutdressierter Hund. Er näherte sich Parnell und wies auf die Uhr.

»Zeit«, sagte er lächelnd. »Kommen Sie gleich mit.«

»Richtig!« sagte Parnell. »Wer rastet, der rostet.«

Parnell wollte das Gebäude betreten, als ihm etwas auffiel, etwas, was ihn störte. Dann wußte er es. Er fuhr herum und starrte wieder in die Sonne.

Und wieder glaubte er das seltsame Flackern zu entdecken.

11

Danach regnete es fünf Tage lang. Man konnte nicht ins Freie, und die Eintönigkeit des Daseins in Aggakla 7 wirkte noch trister. Parnell verschaffte sich gelegentlich Bewegung in der Turnhalle, aber meistens war sie von Gymnastikgruppen belegt.

Die Bücherei war zunächst eine Oase, aber damit war es bald vorbei; die angespannte Hingabe der anderen Patienten störte ihn. Die Regale waren zwar ziemlich voll, aber die meisten Bände kamen ihm kindisch vor.

Er begann die langen Korridore von der Nabe aus zu durchwandern und suchte nach einer Lücke. Es war ein Ausgleich in Garfield, daß man frei herumlaufen durfte – allerdings in genau bestimmten Grenzen. Immer wieder kam er an Metalltüren mit der Aufschrift ›Personal‹ vorbei. Irgendwo hinter den Türen vermutete er die Unterkünfte der Aufseher und die endlosen Etagen, das unglaubliche Labyrinth der Verwaltung. Und irgendwo hinter den Türen, so dachte er, mußten Dutzende von Bibliotheken sein, gefüllt mit Büchern für seine bruchstückhaften Träume.

Mehrmals hatte er Personal in dem abgesperrten Bereich verschwinden sehen. Eine Ausweisplakette wurde in einen Schlitz gesteckt, eine kleine Leuchttafel begann grün zu blinken, und die Tür öffnete sich. Es war lächerlich einfach und eine Qual, sich sagen zu müssen, daß ihn eine kleine Metallscheibe festhielt, als läge er in Ketten. Aber eine Broschüre über Sicherheitsfragen erklärte dazu: ›Garfield ist Ihr Zuhause. Es soll Ihnen bei Ihrer Wiederherstellung Hilfe leisten. Identifizierungsmechanismen an Zugängen zu Sperrgebieten reagieren auf unbefugten Kontakt hochempfindlich. Solche Versuche werden mit strengen disziplinarischen Maßnahmen geahndet.‹

Eines Abends hatte sich plötzlich Geschrei erhoben, schrilles Pfeifen, gefolgt von polternden Schritten. Parnell war in einen Nebenkorridor eingebogen und hatte einen hysterisch brüllenden Durchgangspatienten entdeckt, der mit zwei Aufsehern rang. Der Mann hatte einen Rückfall erlitten, war zurück in den Wahnsinn gestürzt; in der Nähe befand sich der Personaleingang, durch den er hatte eindringen wollen. Ein rotes Licht über der Tür blinkte empört. Dann waren zwei weitere Aufseher an Parnell vorbeigestürmt, um sich in das Gewühl zu stürzen, und ein fünfter hatte Parnell fortgewiesen, als sei er zu zart, um dergleichen miterleben zu dürfen. Sie waren in einem kritischen Augenblick aufgetaucht; Parnell war bereits der Gedanke gekommen, sich mit dem übergeschnappten Genossen zu verbünden, einem der Aufseher seine Ausweisplakette zu stehlen und im Sperrgebiet zu verschwinden.

Später hatte er sich klargemacht, wie unsinnig das gewesen wäre. Wohin würde er fliehen? Er hatte keinen Plan. Außerdem erinnerte er sich an die schnelle Reaktion der Aufseher. Plötzlich kam ihm der Gedanke, daß sie Sicherheitsbeamte sein mußten. Die Broschüre hatte kaum übertrieben; Garfield war ein Gefängnis in einem Gefängnis. Der Zwischenfall erwies sich als nützlich; er hörte auf, über eine Flucht von innen nachzudenken. Die Erholungsanlage gewann neue Bedeutung. Wollte der Regen nie aufhören?

Anscheinend hörte er mitten in der Nacht auf. Das Schwarze Brett meldete elektronisch: ›Klarer Himmel! Erholungsanlage geöffnet!‹, als Parnell am nächsten Morgen zur Arbeit ging.

Fünf Minuten nach zwölf Uhr stürmte er aus einem überfüllten Aufzug in den grellen Sonnenschein und die feuchte Luft hinaus. Parnell hob den Kopf in die Wärme und grinste. Seltsam, dachte er, daß es doch trotz allem noch Freude geben kann. Er schaute sich um und sah die anderen mit schwerfälligen, aber eifrigen Schritten über das Gras eilen.

Die Erde war weich, aber trocken genug, und Parnell lief, bis er ausgepumpt war, dann ließ er sich ins Gras sinken. Erst da fiel ihm das merkwürdige Flackern um den Rand der Sonne ein. Er bedeckte die Augen und starrte in den undurchdringlichen Glanz. Diesmal konnte er nichts Besonderes entdecken. Er wunderte sich nicht, weil er schon vermutet hatte, daß er einer Illusion zum Opfer gefallen war. ·

Plötzlich bemerkte er Mackey in seiner Nähe. Der Mann hastete heran und sank auf ein Knie nieder.

»Parnell? Heißen Sie nicht Parnell? Erinnern Sie sich an mich? Mackey?«

»Natürlich. Wie steht's, Mackey?« ·

»Ich weiß nicht«, sagte Mackey ausweichend. Er drehte

den Kopf zur Seite und beobachtete Parnell aus dem Augenwinkel.

»Wollen Sie sich unterhalten?«

»Ja!« rief Mackey und schien zu erschrecken.

»Worüber?«

»Darüber, was passiert ist.«

»Was passiert ist? Ich weiß nicht, was Sie meinen.«

»Haben Sie nichts gehört? Vor zwei Tagen, abends?«

»Ich glaube nicht.«

»In Aggakla sieben! In Aggakla sieben hat es auf einmal
fünfzig Rückfälle gegeben!« Er war entsetzt. Seine Augen
traten aus den Höhlen. Er packte Parnell am Ärmel. »Wissen Sie, was ein Rückfall ist?«

»Ja. Aber sind Sie sicher, daß es fünfzig gewesen sind?«

»Vielleicht sogar mehr!« sagte Mackey angstvoll. »Haben
Sie nichts davon gehört?«

Parnell schüttelte den Kopf, aber dann fiel ihm der Vorfall im Korridor ein. »Hören Sie, Mackey – ich bin in Aggakla sieben. Neulich ist auch etwas passiert. Aber nur mit
einer Person, nicht mit fünfzig.«

»Fünfzig!« wiederholte Mackey. »Vielleicht sogar sechzig!«

»Wer hat Ihnen das gesagt?«

»Ich habe meine Quellen«, erwiderte Mackey.

»Mackey – ich glaube, Sie irren sich«, sagte Parnell geduldig. »Wenn so viele verschwunden wären, müßte ich das
merken.«

»Sie sind nicht in Aggakla sieben!« sagte Mackey mit
überraschender Empörung. »Woher wollen Sie Bescheid
wissen?«

»Doch, ich bin dort«, sagte Parnell ruhig. »Das habe ich
Ihnen eben erklärt.«

Mackey starrte ihn an. Er schien plötzlich ernüchtert zu
sein.

»O Gott«, sagte er.

»Immer mit der Ruhe. Kein Grund zur Aufregung«,
meinte Parnell. »Es muß so gewesen sein: Es hat neulich
abends einen einzigen Rückfall gegeben, und dann hat
jemand ein Gerücht ausgestreut, das die Dinge völlig ent-
stellte.«

Mackey dachte nach und sagte :»Nicht alles ist ein Gerücht.«

»Was ist kein Gerücht?«

Mackey zögerte.

»Nein«, sagte er plötzlich. »Ich kann es Ihnen nicht sagen. Sie glauben sonst –« Er verstummte tief betroffen.

»Ich glaube sonst, daß Sie rückfällig werden?«

Mackey blickte Parnell entsetzt an.

»Das glauben Sie jetzt schon, nicht?«

»Nein. Ich glaube, daß Sie Angst haben, das ist alles.«

»Das ist nicht alles!« widersprach Mackey wild. »Sie glauben, daß ich einen Rückfall erleide!« Er begann zu schwanken und preßte die Hände an die Schläfen. »O Gott, Parnell. Vielleicht geschieht das in den anderen Aggakla auch! Vielleicht mit uns allen!«

»Mackey, schauen Sie sich doch um. Wenn alle rückfällig wären, könnten wir doch nicht hier sein, oder?«

»Es ist schon vorgekommen«, flüsterte Mackey.

»Was ist vorgekommen?«

»Daß alle gleichzeitig rückfällig geworden sind. Ganze Sektorenzentren. Wahrscheinlich steckt das an. Viele Leute sind rückfällig geworden, Millionen.«

»Also gut. Millionen. Wie kommen Sie darauf, daß *Sie* rückfällig werden?«

Mackey schwankte nervös.

»Ich glaube es«, sagte er leise.

»Weshalb?«

»Deshalb«, sagte Mackey abwesend.

»Sie haben meine Frage nicht beantwortet. Weshalb glauben Sie, daß Sie rückfällig werden?«

»Ich weiß es nicht. Es spielt keine Rolle. Parnell – ich kann nicht mehr schlafen.« Er schluckte. »Versprechen Sie mir, daß Sie nichts weitersagen, wenn ich Ihnen etwas erzähle?«

»Sicher«, sagte Parnell lächelnd.

»Ich habe etwas mitgehört –«

»Schon wieder?« meinte Parnell gutmütig. »Langsam habe ich das Gefühl, daß Sie ein Spion sind.«

Mackey blieb todernst.

»Es gibt einen guten Grund dafür, daß ich so manches weiß«, sagte er.

»Wovon reden Sie eigentlich?«

»Larry erzählt mir viel«, sagte Mackey eingeschüchtert. Er bemerkte Parnells Ungeduld und fügte hastig hinzu: »Larry ist Aufseher in Aggakla Acht.«

»Was hat er Ihnen erzählt?«

»Es hat nicht geregnet. Sie hatten Schwierigkeiten mit der Sonne.«

Mackey lächelte listig und stolz, aber Parnell starrte ihn verwirrt an.

»Das ergibt keinen Sinn.«

Mackeys Lächeln verschwand.

»Ich weiß. Für mich auch nicht. Aber mehr wollte er mir nicht sagen.« Er sah Parnell zweifelnd die Stirn runzeln. »Ich weiß, was Sie denken! Sie glauben, Larry hat mich angelogen! Wir sind zufällig sehr enge Freunde, Parnell. Larry und ich sind sehr enge Freunde. Und er hat mir auch das von den Rückfällen erzählt. Er lügt auch nicht, selbst wenn er wütend auf mich ist. Sie glauben doch nicht, daß er mich anlügen würde, nur um mir weh zu tun, oder?«

Parnell begriff plötzlich. Mackey und Larry. Ein Bild tauchte vor ihm auf.

»Mackey – der Aufseher, der Sie vorige Woche zur Verwaltung gebracht hat, war das Larry?«

»Ja, das war Larry.« Mackey grinste. »Aber wir sind nicht zur Verwaltung gegangen. Kein Mensch wollte mich sprechen. Das sagt Larry immer, und dann mache ich den Witz mit dem Molkereiwesen.« Sein Gesicht umwölkte sich wieder. »Larry weiß Beseid. Er war in letzter Zeit wütend auf mich. Er hat es mir ins Gesicht gesagt. Er sagte, ich wäre erledigt. Er sagte, viele von uns brechen zusammen, und ich auch.«

»Wenn einer überschnappt, dann ist es er«, sagte Parnell aufgebracht.

• »Nein«, sagte Mackey. »Es ist wahr.« Er machte eine Pause. »Parnell – ich fange an, mich zu erinnern.«

Parnell erstarrte.

»Sind Sie sicher?«

»Ja.«

»Woran?« sagte Parnell beschwichtigend, wie um die Flut aufzuhalten. »Woran erinnern Sie sich!«

»Daß ich vor einer Klasse stehe. Ich erinnere mich an jedes Gesicht.«

»Wissen Sie, wo? Wissen Sie sonst irgend etwas?«

»Nein. Einfach eine Schule. Irgendwo. Außer – sie trugen alle Uniformen. Ich auch.«

Parnell nahm sich zusammen.

»Mackey – erinnern Sie sich an irgend etwas aus dem Krieg?«

»Aus dem Krieg? Nein.« Er blinzelte. »Im Klassenzimmer haben wir davon gesprochen. Wir waren in der Armee. Stabsschule. Wir sprachen vom Krieg. Daß es einen geben könnte –«

»Was haben Sie gesagt?«

Mackey überlegte und schüttelte dann den Kopf.

»Ich weiß es nicht.«

»Woran erinnern Sie sich noch?«

»An meine Mutter. Es war ihr Geburtstag. Ich habe sie zum Essen ausgeführt.« Parnell verkrampfte vor Ungeduld die Finger. Dann sagte Mackey: »Alle sind tot. Das ist alles.«

»Was meinen Sie damit, alle sind tot? Können Sie sich daran erinnern, was geschehen ist?«

Mackey wirkte verwirrt.

»Alle sind tot«, sagte er wie betäubt. »O mein Gott. O mein Gott. Ich war wieder dort, Parnell. Ich war wieder dort. O Gott. O Gott. Jesus, bitte für mich. Ich bekomme einen Rückfall. Es ist ein Rückfall.«

»Gar nichts ist es. Ihnen fehlt nichts«, sagte Parnell, aber es klang nicht überzeugend.

»Lieber Gott«, klagte Mackey. »Ich bekomme einen Rückfall.«

»Nein. Hören Sie zu, Mackey, Sie regen sich wegen dieses einen Rückfalls unnötig auf. Ihr Freund Larry hat einen Witz gemacht – es hat keine fünfzig und keine sechzig Rückfälle gegeben, sondern nur einen einzigen. Und mit Ihnen hat das nichts zu tun.«

Mackey nahm die Brille ab. Er kniff die kleinen Augen zusammen, rieb sich den Nasenrücken, setzte die Brille wieder auf und erhob sich.

»Danke, Parnell«, sagte er und ging langsam davon.

*

Am nächsten Tag war Mackey nirgends zu sehen. Gegen Ende der Freizeit entdeckte Parnell Mackeys Freund. Der Aufseher beugte sich über einen Trinkwasserbrunnen, und Parnell ging auf ihn zu.

»Ich suche Mackey.«

Der andere zögerte kurz, ein stämmiger Mann Mitte Vierzig. Er wischte sich den Mund ab und sah Parnell gleichgültig an.

»Er hat heute zu tun. Er konnte nicht 'raufkommen.«

»Hören Sie«, sagte Parnell, »ist alles in Ordnung mit ihm?«

Larry war verblüfft von Parnells direkter Art.

»Was soll das heißen?«

»Wissen Sie es nicht?«

»Wie heißen Sie?« brauste Larry auf.

»Parnell. Ich warte.«

»Mr. Parnell, Sie sind reichlich arrogant. Geben Sie mir Ihre Aggakla-Nummer und den Namen Ihres Oberaufsehers.«

Parnells Augen funkelten.

»Hören Sie zu, Sie Halunke, ich möchte wissen, was mit Mackey los ist.«

Larrys Überraschung war grenzenlos. Sein Unterkiefer klappte hinunter. Er senkte argwöhnisch die Stimme.

»Was bilden Sie sich eigentlich ein? Sie reden mit einem Aufseher.«

»Ich weiß genau, mit wem ich rede – mit Mackeys engem Freund. Ich will wissen, was mit ihm passiert ist.«

»Woher soll ich das wissen?« gab Larry mit schwankender Stimme zurück. »Das ist nicht meine Aufgabe. Ich kann mich nicht um jeden kümmern.«

»Für Sie war er nicht jeder«, fuhr ihn Parnell an. Der Aufseher zuckte zurück. »Ich will Bescheid wissen. Hat er einen Rückfall erlitten?«

Larrys Gesicht verzerrte sich angstvoll. Er starrte Parnell geraume Zeit an.

»Gestern nacht.«

»Mensch«, sagte Parnell leise.

»Sie irren sich«, sagte Larry. »Ein Aufseher hat mit vielen Durchgangspatienten zu tun. Es gibt keine Favoriten. Verstehen Sie mich?«

»Sie Dreckskerl. Sie haben ihn soweit gebracht. Sie waren fertig mit ihm, und dann haben Sie ihn erledigt.«

Larrys Lippen kräuselten sich.

»Wovon reden Sie überhaupt?«

Parnell drehte sich um und ging davon. Larry eilte ihm nach.

»Augenblick, Sie Mißbildung! Ich kann Sie melden! Ich kann angeben, daß Sie überschnappen!« Er sah Parnell böse an. »Das ist es sicher. Ich weiß, weshalb Sie so frech sind. Das passiert immer, bevor es einen erwischt.«

»Nehmen Sie die Hände weg«, sagte Parnell. Er hieb mit der Faust auf Larrys Handgelenk, der aufschrie.

»Das werden Sie mir büßen«, zischte Larry. Er trat an einen Signalknopf in der Wand, drückte ihn und drehte sich um. »So geht das, Freundchen. Sie sind übergeschnappt. Verstehen Sie mich?«

Die Reaktion auf den Alarm erfolgte blitzschnell. Zwei Wachen schossen binnen Sekunden aus einem Eingang, die Hände auf ihren Pistolenhalftern. Larry deutete auf Parnell, und die beiden packten ihn sofort bei den Armen. Beinahe reflexartig zerrten sie Parnell in eine Nische, außer Sicht der anderen Durchgangspatienten.

»Scheint rückfällig geworden zu sein, Jungs«, sagte Larry vertraulich. »Ist eben auf mich losgegangen. Noch ein paar andere Sachen. Ziemlich übel.«

Einer der Bewacher sah zu den Gruppen der Durchgangspatienten hinüber; niemand schien etwas bemerkt zu haben. Er schaute auf die Uhr.

»Warten wir noch ein paar Minuten, bis sie weg sind«, sagte er zu Larry.

Parnell stand unbeteiligt dabei, und Larry wies mit einer warnenden Handbewegung auf ihn.

»Laßt euch nicht täuschen von dem. Das geht ganz plötzlich los. Ein gefährlicher Bursche.«

»Wohin gehen wir?« fragte Parnell seine Bewacher.

»Arrestraum. Alles okay, nur schön friedlich sein.«

»Bin ich. Ich fühle mich ganz ruhig und friedlich.« Er starrte Larry an, und in seinem Gehirn hatte es eben geschaltet, ein Einfall von solch ungeheurer Absurdität, daß ihn der erschreckende Gedanke überfiel, er sei vielleicht wirklich im Rückfall. Er schaute zum Himmel hinauf.

»Es macht mir nichts aus, daß ich in den Blumen Larrys Lustobjekt sein muß«, sagte Parnell – so ruhig und sachlich, daß ihn alle drei überrascht ansahen. »Mich stört das andere.«

Larry schoß das Blut ins Gesicht, und er warf einen Blick auf die beiden Wachen. Sie grinsten sich an. Es war also kein besonderes Geheimnis, es handelte sich nur um Diskretion, denn einer der Bewacher sagte: »In den Blumen, Larry?«

»Der Saukerl lügt«, sagte Larry. »Von so einem will ich nichts wissen.«

Parnell schien den Wortwechsel nicht wahrzunehmen. Er schaute wieder zum Himmel hinauf.

»Das mit der Sonne stört mich.«

Die Bewacher lächelten nicht mehr. Sie sahen Parnell nervös an.

»Larry hat mir das von der Sonne erzählt«, sagte Parnell. »Es hat gar nicht geregnet. Man mußte die Sonne richten.«

»Sie Vollidiot!« Einer der Männer war herumgefahren und funkelte Larry an.

»Er ist verrückt! Ich weiß nicht, woher er das hat! Ich habe ihm kein Wort gesagt!« Larry war entsetzt.

»Sie Trottel!« sagte der andere. »Sie können sich verlustieren, soviel Sie wollen, aber warum können Sie nicht die Schnauze halten?«

In diesem Augenblick, als die ganze Aufmerksamkeit auf Larry gerichtet war, öffnete Parnell die Pistolentasche des Bewachers auf seiner linken Seite und riß die Waffe heraus. Es ging so schnell, daß die beiden Männer nichts mehr unternehmen konnten.

»Nicht!« schrie Larry und bedeckte das Gesicht mit den Händen.

Parnell starrte den bewaffneten Bewacher an.

»Umdrehen«, befahl er allen dreien.

»Nicht umbringen!« jammerte Larry. »Bitte, nicht umbringen! Es tut mir leid! Ehrlich, ich wollte wirklich nur helfen!«

»Umdrehen«, sagte Parnell, und als die Männer gehorchten, zog er die zweite Waffe aus dem Halfter und schob sie in seine Tasche. »Stehenbleiben«, befahl er und trat aus der Nische auf das Gras. Er schaute ungläubig zur Sonne hinauf.

Aber es war wahr. Seine Herausforderung hatte die überraschende Bestätigung gebracht.

Er hob die Pistole und drückte ab. Ein ohrenbetäubendes Krachen hallte durch die Erholungsanlage, und etwas Seltsames geschah – das Sonnenlicht flackerte, und man hörte deutlich ein Knistern. Parnell gab ein halbes Dutzend Schüsse ab, und bei jedem Knall flackerte die Sonne stärker; blaugrüne Funken regneten hinab. Der Glanz der Sonne, die Lichtstärke ließen nach.

Ein angstvolles Kreischen erhob sich, als die Durchgangspatienten zur sterbenden Sonne hinaufblickten. Und schlagartig war die Sonne tot, die Erholungsanlage lag im Dunkeln. Ein letzter Funkenstrom sank hinab und erlosch, das knisternde Geräusch erstarb. Nur die Durchgangspatienten konnte man noch hören, geisterhafte, tierische Entsetzensschreie.

Plötzlich wurde es wieder hell, als Dutzende von Bogenlampen aufstrahlten. Parnell blickte zum schwarzen Himmel hinauf. Er hörte stampfende Schritte und drehte sich um, als ihn einer der Bewacher rammte. Sie stürzten gemeinsam und rollten über den Boden. Parnell verlor die Waffe. Er bäumte sich auf und hieb seinem Gegner die Faust ins Gesicht. Als er aufsprang, sah er den zweiten Mann und Larry auf sich zustürzen. Parnell trat zur Seite und fällte den Bewacher mit einem Handkantenschlag. Larry schien zu zögern, aber er konnte nicht mehr zurück. Parnell packte den Arm des Mannes, riß ihn herum und ließ sein eigenes Knie hochzucken. Larry brach ächzend zusammen.

Parnell lief auf die nächste Gruppe von Durchgangspatienten zu, die zu Statuen erstarrt waren. Ein paar hatten sich schon wieder erholt und blickten ihn mit seltsamem Ausdruck an. Sie hatten ihn mit der Pistole gesehen. Und er hatte die Sonne zerstört.

Parnell wußte genau, was er tat, wußte aber auch, daß in ihm etwas gerissen war. Tobsucht erfüllte ihn, und es berührte ihn nicht mehr, ob diese Wildheit der Wahn des Rückfalls war oder nicht; denn es gab sonst nichts, was er tun konnte.

»Hört mir zu! Das war nicht die Sonne. Versteht ihr? Niemand kann die Sonne auslöschen! Niemand kann sie erreichen! Das war Schwindel! Nichts als Lichter! Künstliche

Lichter. Sonne und Himmel sind künstlich! Der Himmel war eine Projektion, vielleicht hundert Projektionen! Es gibt hier keinen Himmel und keine Sonne, weil wir uns nicht außerhalb des Komplexes befinden! Versteht ihr mich?« Er lief von einem zum andern. »Sie trauen uns nicht! Sie haben das gebaut, weil sie wissen, daß wir nie hinauskönnen! Alles ist Schwindel! Begreift ihr das? Die Erholungsanlage ist ein Schwindel! Der Komplex ist ein Schwindel – und wir sind Gefangene! Sie wollen uns hier für immer festhalten! Sie lassen uns nie hinaus! Wir müssen es selbst schaffen! Wir können hinaus, aber wir müssen es gemeinsam tun! Sofort! Auf der Stelle, verdammt! Sofort!«

Sie starrten ihn leer an, und Parnell war plötzlich tief niedergeschlagen. Seine Stimme klang tonlos.

»Für euch ist es besser, wenn ihr tot seid.«

Dann spürte er die andere Waffe in seiner Tasche und fuhr herum zum Eingang.

Er kam aber nicht weit; ein schwerer Schlag traf ihn an der Schläfe. Durch umwölkte Augen sah er die schattenhaften Umrisse eines Mannes, als der schwankende Boden hochzuschießen und gegen sein Gesicht zu prallen schien. Dann wurde es dunkel.

12

Zum zweitenmal innerhalb einer Woche stand Korman in Hayleys Büro. Das konnte nur ein ernstes Problem bedeuten, und Korman setzte sich in düsterer Erwartung zurecht. Hayley täuschte ihn jedoch mit seiner ruhigen Art.

»Ihre Berichte über eine Zweitbehandlung wirken ermutigend, Korman. Ich dachte, wir besprechen sie einmal gründlich.«

»Sie sind ermutigend, Doktor – im Rahmen von Tierversuchen. Ich fürchte, das genügt bei weitem noch nicht.«

»Die Rhesusaffen haben sich aber sehr gut gehalten, nicht?«

»Ja.«

»Dann finde ich das durchaus aussichtsreich. Rhesusexperimente bei der Erstbehandlung stimmten mit den menschlichen Reaktionen überein. Es sieht so aus, als könnten wir hier ähnliche Schlüsse ziehen.«

Korman begriff plötzlich, daß Hayleys Schlußfolgerungen seltsam übereilt wirkten. Hayley sprach sich selbst Mut zu.

»Wann würden Sie die erste Erprobung ansetzen?« fragte Hayley.

»Offen gesagt, Doktor, ich glaube, wir sind noch nicht in der Lage, Versuche mit Menschen vorzunehmen. Noch auf Monate hinaus nicht.«

Hayley klopfte mit einem Finger auf den Schreibtisch.

»Unser Hauptproblem sind die Rückfälle. Wir müssen das Tempo beschleunigen.«

Korman sah ihn erstaunt an. Sie hatten die Rollen getauscht; bisher war Hayley stets für Vorsicht eingetreten.

»Wir bringen ein paar Leute um, Doktor«, sagte Korman offen.

»Und retten andere«, gab Hayley zurück.

»Aber es sollte doch kein Risiko eingegangen werden.«

»Es gibt zu viele Rückfälle«, meinte Hayley vage.

»Ich verstehe Sie nicht. Ich habe den Wochenbericht erst gestern gelesen. Wir scheinen bei einer stabilen Verlustrate zu sein – ein halbes Dutzend im Monat, abgesehen von Garfield. Und wenn ich mich recht erinnere, hat es dort auch nachgelassen. Die ganze letzte Woche nur zwei Fälle.«

Plötzlich ging Korman ein Licht auf. Es steckte mehr dahinter. »Was ist los, Doktor?« fragte er. »Parnell?«

Hayley wollte widersprechen, nickte dann aber nur müde. Er reichte Korman einen Bericht.

Als Korman ihn gelesen hatte, warf er ihn auf den Schreibtisch.

»Und Sie glauben, daß er rückfällig wird.«

»Sie nicht?«

»Nein. Ich bin davon überzeugt, daß das nicht der Fall ist.«

»Und worauf stützen Sie sich dabei?«

»Auf sein ganzes Verhaltensmuster. Haben Sie einen Monitor auf ihn geschaltet?«

»Ja, aber –«

Korman beugte sich vor.

»Würden Sie ihn einschalten?«

Hayley zog die Brauen zusammen, dann drückte er zwei

Tasten. Parnell erschien auf dem Bildschirm. Er lag auf einem Feldbett, die Hände hinter dem Kopf, und starrte an die Decke.

»Hat man ihn betäubt?« fragte Korman.

»Natürlich nicht«, erwiderte Hayley. »Er befindet sich in einer Beobachtungsperiode.«

»Genau«, sagte Korman. »Das ist derselbe Mann, der gestern zum Berserker geworden ist. Doktor – Sie haben Dutzende von rückfälligen Patienten erlebt.« Er wies auf den Monitor. »Hat einer von ihnen so ausgesehen?«

Hayley starrte auf den Bildschirm. Parnell fuhr sich mit den Fingern durch das Haar, seufzte gelangweilt und legte sich wieder zurück. Hayley schaltete ab und sah Korman an. Sein Zorn enthielt widerwillige Bestätigung.

»Der Mann hat in der Erholungsanlage eine Verdunklung verursacht! So etwas hat noch niemand gemacht.«

»Bis jetzt ist auch noch kein Patient dahintergekommen, daß die Anlage fünfundzwanzig Stockwerke unter der Erde liegt«, konterte Korman störrisch. »Sie ist nicht wie die anderen Erholungsanlagen mit echter Sonne und echtem Himmel. Sie ist ein Schwindel – damit Grenzfälle unter Beobachtung gehalten werden können. Aber davon haben wir Parnell nichts verraten. Wir haben ihn hereingelegt und wieder belogen – und als er dahinterkam, rebellierte er wieder.«

»Die Genesung beruht nicht auf Wahrheiten«, erklärte Hayley. »Wir führen keine Bibelschule. Die Voraussetzung für die Wiederherstellung ist die Vermeidung der Wahrheit.« Er fügte erbost hinzu: »Es interessiert Sie vielleicht, zu hören, daß sich als Folge der Verdunklung in nicht weniger als einem halben Dutzend Fällen Rückfallsymptome ergeben haben.«

»Doktor, ich verteidige Parnells Verhalten nicht, aber Garfield ist ein Reagenzglas. Diese Symptome hätten sich früher oder später von selbst ergeben.«

Hayley funkelte ihn an, aber der Streit war vorbei. Hayley brauchte Korman jetzt.

»Angenommen, er wird nicht rückfällig.«

Korman hatte darauf gewartet und reagierte sofort.

»Nehmen Sie ihn aus Garfield heraus. Versetzen Sie ihn in ein fortgeschrittenes Sektorenzentrum. Erlauben Sie ihm Zugang zu allen Einrichtungen – den Menschen, den Bibliotheken. Freien Zugang zum Hofraum. Mit anderen Worten, Doktor, beseitigen Sie die Reibungsflächen. Daran hat er sich ständig entzündet. Nehmen Sie sie fort, und er wird sich nicht einzigartig oder verfolgt oder auflehnend vorkommen – weil er dann wie jeder andere ist. Und weil er sich in einem Fortgeschrittenenzentrum befindet, wird er ein Ziel haben – reinen Tisch und in sechs Monaten die Welt außerhalb dieser Abteilung.«

Hayley hatte aufmerksam zugehört.

»Noch eine Belohnung für Rebellion?« fragte er.

»Das ist keine Belohnung«, fuhr Korman auf. »Wir hätten das gleich tun sollen.«

»Vielleicht hätte er nach dem Vorfall im Hofraum beschränkt werden müssen«, meinte Hayley mit einem listigen Blick.

»Wenn Sie so denken, Doktor, dann tun Sie es gleich. Sperren Sie ihn ein, und werfen Sie den Schlüssel weg. Das ist der sicherste Weg.«

»Vielleicht der einzige, Korman.«

»Hören Sie, Doktor, ich will Ihnen nichts vormachen. Ich weiß nicht, warum, und es geht mich nichts an, aber ich weiß, daß Parnell etwas ganz Besonderes ist. Ich bin mir klar darüber, daß man vorsichtig mit ihm umgehen muß. Sie haben ihn aber nicht durch die Behandlung geschleust, damit er den Rest seines Lebens in einer Gummizelle verbringt.«

Ein gelbes Lämpchen an Hayleys Schreibtisch begann zu blinken. Der Doktor drückte auf eine Taste, drehte den Zerhackerschalter und nahm ab.

»Jemand ist bei Ihnen«, sagte Laird.

»Ich bin gleich fertig«, meinte Hayley.

»Ich mache es kurz. Wie entwickelt er sich?«

Die Frage verwirrte Hayley für einen Augenblick, aber dann begriff er, daß Laird von Parnell und dem Zwischenfall in Garfield nichts wußte.

»Ganz gut«, sagte er vorsichtig. Er wurde das Gefühl nicht los, daß Laird ihm eine Falle stellen wollte.

»Was für Pläne haben Sie? Bleibt er in Garfield?«

»Ich weiß es noch nicht.«

»Aber Sie sind ermutigt?«

Hayley zögerte und sagte dann: »Im Prinzip ja.«

»Gut.« Laird senkte die Stimme. »Der Alte hat sich gestern erkundigt. Er will Bescheid wissen.«

»Verstehe.«

»Na gut«, sagte Laird abrupt. »Ungünstige Zeit für einen Anruf.« Er schien sich aber nicht zu ärgern. »Ich erkundige mich in ein paar Tagen«, sagte er und legte auf.

Korman beobachtete Hayley, als er langsam den Hörer zurücklegte. Vom ersten Augenblick an hatte er gewußt, daß der Anruf Parnell gelten würde. Und er empfand Mitgefühl mit Hayley, der unter beträchtlichem Druck stehen mußte.

»Sie sagten eben?«

»Parnell.«

»Ja.« Hayley sah ihn mit zusammengekniffenen Augen an. »Eine schwierige Sache.«

Korman mußte beinahe lachen. Hayley spielte wieder einmal eine seiner Rollen.

»Ich habe vorgeschlagen, daß wir ihn aus Garfield herausholen und zu den Fortgeschrittenen stecken«, sagte er.

Hayley erwiderte ernst seinen Blick.

»Ich überlege es mir, Doktor.«

13

Die Welt wurde wieder auf den Kopf gestellt, und Parnell sah sich unvorbereitet. Etwa vierundzwanzig Stunden, nachdem er in die Arrestzelle gesperrt worden war, ging die Tür auf, und er wurde zwei Aufsehern übergeben, die ihn aus Garfield hinausführten. Gesprochen wurde nichts, aber Parnell störte sich nicht daran. Man schritt durch endlose Korridore, fuhr zweimal mit dem Aufzug und landete endlich in dem neuen Sektorenzentrum, wo Parnell der Verwaltung übergeben wurde.

Er hatte Schlimmes erwartet. Die Feuer der Hölle hätten ihn nicht überrascht. Statt dessen wurde er in Adams, einem Sektorenzentrum für fortgeschrittene Durchgangspatienten, willkommen geheißen.

Es unterschied sich in fast jeder Hinsicht von allem Bisherigen. Die Patienten selbst waren anders. Sie hatten wenig Ähnlichkeit mit den halbbetäubten Patienten von Garfield und Pierce. Gewiß, sie neigten zur Versunkenheit – die Behandlung hinterließ auf Jahre hinaus Spuren –, aber die passive, träge Haltung war überwunden. Statt dessen zeigte sich eine ruhige Zuversicht, ein ernsthaftes Bewußtwerden der Welt, in die sie bald eintreten würden.

Diese Welt war von Zeit zu Zeit buchstäblich in Sicht. An verschiedenen Stellen in Adams gab es Tore, die von der Medizinischen Abteilung in das riesige Geflecht der Regierungsverwaltung in Dutzenden von Stockwerken darüber führten. Es gab sogar Doppeltunnels, einen als Aus-, den anderen als Eingang. Offiziell als Transitstellen bekannt, in der Umgangssprache ›Röhren‹ genannt, waren sie taktvollerweise nicht mit Wachtposten besetzt. Das gehörte zum Status des FD, wie Parnell entdeckte; in Adams wurden autoritäre und einschränkende Maßnahmen auf ein Minimum reduziert. Andererseits stand auch fest, daß menschliche Überwachung unnötig war; ein fotoelektrisches System war ständig in Betrieb und konnte nur mit einer eigenen, elektronisch verschlüsselten Ausweisplakette überwunden werden. Außerdem lag jenseits der Tunnels kein Wunderland für die Augen, eigentlich nicht mehr als Korridore wie überall im Komplex.

Trotzdem konnten nur wenige FD daran vorbeigehen, ohne sie anzustarren. So, als gelänge es mit ein wenig Glück, die Zukunft zu erblicken.

Parnell fiel es schwer, seinen Argwohn gegenüber Adams aufrechtzuerhalten. Es gab zum Beispiel nur wenige Aufseher zu sehen. Die meisten Funktionen des Zentrums waren Kalfaktoren übertragen. Auch der Mann in der Verwaltung war Kalfaktor.

Er teilte Parnell mit, daß man sich natürlich nach bestimmten Vorschriften richten mußte – aber er tat es im intimen Ton eines Klubmitglieds, der einen Neuling begrüßt.

»Ich glaube nicht, daß Sie sie besonders beengend finden werden«, meinte er freundlich. »Die Tunnels dürfen natürlich nicht betreten werden – das heißt, bis zu dem Tag, an dem wir sie offiziell benützen dürfen.« Er lächelte. »Mal sehen – ich habe diverse Einrichtungen erwähnt. Ist mir etwas entgangen?« Er dachte nach.

»Wann wird das Licht ausgemacht?« erkundigte sich Parnell.

»Überhaupt nicht«, antwortete der Kalfaktor. »In Adams können Sie die ganze Nacht hindurch lesen, auf- und abgehen oder sonst was tun, Mr. Parnell. Das ist immer eine Überraschung«, meinte er grinsend.

Parnell nickte.

»Was treibt man untertags?«

»Man wird zur Arbeit eingeteilt. Hier – das können wir gleich erledigen.« Er gab ihm ein Blatt Papier.

»Was ist das?«

»Eine Liste der Möglichkeiten. Wenn Ihnen etwas zusagt, streichen Sie es an.«

»Und wenn nicht?«

»Nun, Sie können aus der Gesamtliste Ihre Wünsche ankreuzen, gleich auf der Rückseite. Jeden Tag scheiden hier Leute aus, so daß Plätze frei werden. Inzwischen nehmen Sie eine verfügbare Arbeit, bis es soweit ist.«

Parnell überflog die Liste.

»Was ist das? ›Bibliothek, Kapselkatalogisierung‹?«

»Das gefällt Ihnen vielleicht. Ich habe mich da auch mal versucht. Es gibt endlose Bücherstapel zur Mikroverfilmung.« Er lächelte. »Das Angenehme dabei ist natürlich, daß man viele Bücher zu lesen bekommt. Außerdem liegt die Bücherei sehr günstig.«

»Was für Bücher?« fragte Parnell. »Ich bin firm in ›Unsere Nachbarn‹, ›Die Sterne‹, ›Tierleben‹ und ›Wie das Wetter entsteht‹.«

Der Kalfaktor lachte.

»Guter Gott, die hatte ich schon ganz vergessen. Nein – so beschränkt ist die Lektüre hier wirklich nicht.«

»Also gut«, sagte Parnell. »Die Bibliothek. Was noch?«

»Eine gute Wahl«, sagte der Kalfaktor. Er machte sich eine Notiz. »Sie können morgen früh hier vorbeikommen. Gegen halb neun, sagen wir? Weiter.« Er zog ein Schema des Sektorenzentrums heraus und gab mit einem Bleistift Hinweise. »Wir brauchen ein Bett für Sie. Mal sehen, was wir da haben. Ziemlich viel Platz. Wie ist Ihr Geschmack? Kolonialstil, traditionell oder komplex-modern?« Er grinste. »Sagen Sie lieber komplex-modern.«

»Komplex-modern«, sagte Parnell.

»Sie würden sich wundern, wie viele mich ernst nehmen.« Er beugte sich über den Plan. »Okay. Machen wir es Ihnen

leicht. Das ist ziemlich nah bei der Bibliothek.« Er kritzelte
›Parnell‹ in ein numeriertes Rechteck und schob den Plan
weg. Er sammelte verschiedene Unterlagen zusammen, schob
sie in eine grüne Kunstledermappe, fügte einen kleinen Plan
hinzu, machte zwei Kreise darauf und reichte Parnell die
Mappe.

»Hier sind wir, da sind Sie«, sagte er. »Alles Gute.«

Parnell stand zögernd auf.

»Wo ist die Infanterie?« fragte er unsicher.

Der Kalfaktor sah ihn verwirrt an, dann begriff er und
lächelte.

»In Adams gibt es keine Begleitung.«

Parnell klemmte die Mappe unter den Arm und trat in
den Korridor hinaus. Er lief die nächste Stunde ziellos im
Sektorenzentrum herum und machte sich mit einer völlig
neuen Umwelt vertraut. Er kam sich naiv und fremd vor,
der klassische Besucher in einer Großstadt. Adams war nicht
größer als andere Sektorenzentren, in der Anlage nicht anders, aber lebendig. Die Menschen hatten eine neue Identität
gefunden. Die Vergangenheit, das Leben der Lebendig-
Toten, war abgetan.

Das Erstaunlichste war ein Zimmergenosse. Parnell fand
schließlich seine neue Unterkunft und entdeckte dort einen
großen Mann mit silbergrauen Locken, der fest schlief. Sein
weiches, rundes Gesicht war an die Hände gepreßt, und er
schien Erfreuliches zu träumen, denn er lächelte schwach. Er
fuhr hoch und sagte: »Ach, verdammt. Ich wollte Sie richtig
begrüßen.« Schläfrig stellte er sich als Edward Brown vor.

»Nicht sehr einfallsreich, wie?« entschuldigte er sich.

Seine Stimme klang merkwürdig. Parnell war für Augenblicke verwirrt, dann tauchte ein Erinnerungsfragment auf.

»Das ist ein englischer Akzent.«

»Mein Gott, ja!« Brown war beeindruckt. »Sehr gut. Alle
anderen sehen mich bloß komisch an.«

»Ich frage mich, weshalb Sie hier sind«, meinte Parnell.

»Ich weiß es nicht. Ich habe mich das auch gelegentlich
gefragt. Scheint aber nicht so wichtig zu sein. Ich bin neu,
ich bin hier, und der Akzent ist ganz lustig, aber – na ja, er
paßt nicht so recht. Verstehen Sie?«

»Ja.«

»Hm. Ich habe den restlichen Nachmittag frei, damit ich

Sie herumführen und es Ihnen bequem machen kann. Wenn Sie mich nicht quatschen hören wollen, brauchen Sie es nur zu sagen, dann schlafe ich wieder – aber ich dachte, Sie möchten vielleicht Kaffee.«

Parnell prüfte das kleine Bett auf seiner Seite des Zimmers.

»Kaffee klingt gut.« Er lächelte. »Das ›Quatschen‹ auch.«

Brown führte ihn zu einem Imbißlokal in der Mittelnabe des Zentrums, wo die Gemeinschaftseinrichtungen untergebracht waren. In Adams nenne man das großartig ›Rotunde‹, verriet er grinsend.

»Ich sage Piccadilly dazu, aber ich weiß nicht, warum«, gestand er.

»Das ist in London«, gab Parnell zurück.

Sie sahen einander erstaunt an.

»Sind Sie sicher?«

»Nein. Das ist mir nur so herausgerutscht. Aber es stimmt wohl.«

»Wie ungewöhnlich«, meinte Brown. »Ich habe das Wort seit einiger Zeit verwendet, ohne den Zusammenhang zu kennen. Wissen Sie mehr darüber?«

»Nein.«

»Hm. Ich weiß, daß England ein Land, London eine Stadt und Piccadilly – tja, vermutlich ein Teil dieser Stadt ist.«

»Vielleicht gibt es das alles nicht mehr«, sagte Parnell.

Brown sah sich betroffen um.

»Ich bin taktlos«, meinte Parnell. »Den Krieg darf ich nicht erwähnen, nicht wahr?«

»Das ist ein unanständiger Ausdruck hier«, warnte Brown mit schiefem Lächeln.

»Hören Sie, Brown, es ergibt einfach keinen Sinn«, sagte Parnell. »Was, zum Teufel, bedeutet das alles? Wozu reift man heran, wenn nicht zur Wirklichkeit? Worauf werden wir ausgerichtet, wenn nicht auf die Wahrheit?«

»Ah, es gibt aber noch eine abschließende Einweihungsperiode, wissen Sie«, flüsterte Brown. »Die letzten dreißig Tage. Da erfährt man die Tatsachen des Lebens.«

Parnell ließ erstaunt die Tasse sinken.

»Sind Sie sicher?«

»Das ist allgemein bekannt.«

»Welche Tatsachen?«

Brown bewegte unruhig die Schultern.

»Hm. Etwas über den – Krieg. Über die Situation auf der Welt, nehme ich an. Und dann geht es los.«

»Wohin?«

»Durch den Tunnel. Zu einem neuen Anfang«, erwiderte Brown unsicher.

»Angenommen, man will nicht neu anfangen«, sagte Parnell.

»Ich verstehe nicht ganz.«

»Was nützt einem denn das alles, wenn man nicht weiß, wer man ist?«

»Aber Sie wissen doch, wer Sie sind. Bis Sie durch den Tunnel gehen, haben Sie das neue Ich gut im Griff.«

»Himmelherrgott, Brown!« flüsterte Parnell ungeduldig. »Ist Ihnen denn das alte Ich ganz egal? Der wahre Brown – oder wer Sie sonst gewesen sein mögen? Wollen Sie nicht wissen, was das alles für Sie bedeutet? England? London? Piccadilly? Wer Sie wirklich sind?«

Brown starrte ihn an, als sei Parnell verrückt geworden.

»Mein Gott, Mann«, sagte er betroffen.

»Weshalb akzeptieren Sie das, zum Teufel?« zischte Parnell. »Warum interessiert sich keiner?«

»Parnell – Parnell –« Brown schüttelte verstört den Kopf. »Sie verstehen nicht. Das kann Sie in Schwierigkeiten bringen. Mit sich selbst. Es ist nicht gut, zurückzugehen. Wir können nicht zurück. Das wäre Selbstmord.«

Parnell hob gereizt die Tasse an den Mund. Das hatte schon einmal jemand gesagt. Selbstmord. Julia, erinnerte er sich. Julia und Brown und alle anderen mit ihrer Angst vor der Vergangenheit. Und Mackey, der sie zu erkennen begonnen hatte und zugrunde gegangen war.

Für eine Sekunde schloß er die Augen und machte sich daran, seinen eigenen Blick in die Vergangenheit zu rekonstruieren. Die wehenden Vorhänge. Und die Straßenlaterne. Und die blühenden Bäume. Das gehörte ihm. Es war seine eine schwache Verbindung mit der Wahrheit.

Brown starrte ihn besorgt an, und Parnell lächelte schwach.

»Brown«, sagte er, »erinnern Sie sich an etwas? An irgend etwas?«

Brown riß den Mund auf.

»Mein Gott, nein!« Er stellte die Tasse ab. Er wollte gehen und wußte nicht, wie er das anstellen sollte.

»Glauben Sie, daß sich hier irgendeiner erinnert?«

»Lieber Gott.« Er schüttelte heftig den Kopf. »Natürlich nicht. Sie wären nicht hier.«

Parnell nickte langsam.

»Gut«, sagte er.

Die Bibliothek von Adams wurde zu einer Zuflucht. Parnell arbeitete allein in einem kleinen Raum neben den Bücherstapeln. In der Mitte stand ein Mikrofilmgerät. Parnell hielt sich an eine Liste, die man ihm gegeben hatte.

Die Arbeit selbst war lächerlich einfach. Das Gerät funktionierte fast vollautomatisch. Er brauchte nicht viel mehr zu tun, als das Buch in eine Halterung zu schieben. Parnell notierte dann das Mikrofilmergebnis.

Während das Buch abgefilmt wurde, las Parnell. Es gab kein Soll zu erfüllen, und der Hofraum durfte mehrmals am Tag aufgesucht werden.

Parnell verließ die Bibliothek in den nächsten Wochen kaum. Er arbeitete, ging in der benachbarten Cafeteria essen, verschaffte sich auf der Aschenbahn oder im Turnsaal Bewegung und stieg jede Nacht erschöpft ins Bett.

Die Bücher wurden zu einer Besessenheit. Er wußte nicht, wann es plötzlich aus sein konnte, wann eine willkürliche Entscheidung ihn der Bücher wieder berauben mochte. Deshalb wagte er weder zu gründlich noch zu oberflächlich zu lesen. Wie ein von Hast getriebener Dilettant überflog und pickte er, und das riesige, leere Reservoir seines Wissens begann sich wieder zu füllen.

Ideen, Gedanken, Tatsachen schienen wie wilde Zellen zu wuchern. Daneben entstand aber ein seltsames Gefühl des Mangels. Es gab viel Literatur, aber keine Geschichte an sich; wissenschaftliche Details, aber keine Technologie als solche. Nichts, was Parnell ein neues Verständnis der Welt, in der er lebte, verschafft hätte. Wie arbeiteten die Mikrofilmgeräte? Die Aufzüge? Die Sensoraugen der Alarmsysteme an den Transitstellen? Die Kommunikationssysteme? Wie wurde die Kleidung hergestellt? Die synthetische Nahrung? Es blieb eine große Kluft.

Dasselbe galt für die neueste Geschichte. Über die Zivilisation, deren Opfer sie alle waren, gab es nichts. Die Vergangenheit war ein quälendes Gewebe, eingefügt in den Hintergrund des Lebens. Das Wort ›Krieg‹ tauchte auf, aber stets allgemein gehalten.

Trotzdem konnte die offensichtlich funktionierende Zensur nicht immer unerwartete Verbindungen verhindern. In einem alten Baedeker wurde kurz St. Helena erwähnt. Zwei Tage später füllte Parnell ein bedrückendes Vakuum. Napoleon Bonaparte war auf St. Helena gestorben. Er strengte sich an, und Neues tauchte auf: Frankreich, Rußland, Waterloo, Krieg und Gewalt. Und da hörte es auf. Er hatte das Skelett geschaffen, konnte es aber nicht mit Fleisch umkleiden.

Dutzende von Erinnerungsketten waren auf gleiche Weise ausgelöst worden. In der Biographie eines obskuren holländischen Kaufmanns war von ›Südsee‹ und ›Schoner‹ die Rede, und da ergab sich ein Flickwerk von Assoziationen, angefangen von ›Tahiti‹ über ›Bounty‹, ›Captain Bligh‹, ›Admiralität‹, ›Lord Nelson‹, ›Trafalgar‹, und zu seiner Überraschung endete es bei ›Piccadilly‹.

Was Brown anging, so täuschte er nach dieser ersten Begegnung Schlaf vor oder floh entsetzt, sobald Parnell auftauchte. Sie trafen sich kaum und wechselten selten ein paar Worte miteinander. Der arme Brown betrachtete Parnell wie ein Hypochonder einen Aussätzigen.

Die Tage vergingen schnell. Es war eine Zeit der Angleichung. Der wilde Trotz war gemäßigt, und Parnell verhielt sich mustergültig.

Bald würde sich das wieder ändern. Das leise Ticken der Uhr verbarg den Fluß der Ereignisse.

14

Sie beobachtete ihn von der Cafeteria aus mit erfreutem, madonnenhaftem Lächeln. Es verriet deutlich, daß sie sich im Vorteil befand; sie hatte ihn als erste gesehen, und er würde überrascht sein.

Er war es. Er stand auf, um zu gehen, und kaute noch zerstreut, als er sie sah. Sie hob eine Tasse an die Lippen, und er erkannte ihr halbverborgenes Gesicht nicht gleich. Er starrte sie verwirrt an, bevor sich das Bild zusammenfügte, und er flüsterte ganz unbewußt: »Julia!«

Sie saß an einem kleinen Tisch beim Eingang. Eine ältere Frau erhob sich und stieß mit Parnell zusammen, als er herankam.

»Flegelhaft«, murrte sie, aber Parnell sah sie gar nicht. Er setzte sich Julia gegenüber.

»Ich dachte nicht, daß Sie sich an mich erinnern werden«, sagte Julia mit gespieltem Schmollen.

»Das sind diese verdammten Overalls«, meinte Parnell. »Man kann die Leute nicht auseinanderhalten.«

»Auch Mädchen nicht?«

»Da ist es noch schlimmer. Man vergißt, wie Mädchen aussehen.«

Es stimmte. Frauen waren selten genug, junge noch seltener, und hübsche zogen stets große Aufmerksamkeit auf sich. Plötzlich wurde Parnell klar, daß sie allgemein angestarrt wurden.

»Es ist schön, Sie zu treffen, Alex«, sagte Julia. »Ich sehe, daß sich doch alles eingerenkt hat.«

»Ich weiß nicht. Es war ein bißchen holprig.«

»Aber Sie sind hier.«

Er winkte ab.

»Sie auch. Wie lange schon?«

»Ein paar Tage.«

Er grinste.

»Ich muß öfter aus meinem Loch kriechen. Ich hätte Sie monatelang übersehen können. Was machen Sie?«

»Verhaltensforschung. Ich helfe gern. Ich behalte alle im Auge, mich eingeschlossen. Alex – wie geht es? Im Ernst!«

»Gut.«

»Ist es besser geworden? Sie wirken nicht mehr so – drängend. Das ist gut.«

Parnell zuckte die Achseln. Er sah, wie die in der Nähe sitzenden Leute ihn und Julia angafften. Er blickte sie spöttisch der Reihe nach an, und sie wandten sich verlegen ab. Julia mußte lachen.

»Ach, Alex, das ist schrecklich. Sie schüchtern die Armen ein.«

»Ein bißchen Autorität hat noch keinem geschadet«, meinte Parnell.

Sie schien sich über seinen Humor zu freuen.

»Es ist nicht so schlimm, wie Sie gedacht haben, nicht wahr?«

Er lächelte.

»Ich weiß es noch nicht. Es ist einfacher. Vielleicht ist das schlimmer.«

»Ich glaube, Sie wollen unbedingt ein Renegat sein«, scherzte sie. »Nicht mehr als das.«

»Möglich. Ich habe etwas entdeckt. Ich entstamme einer langen Reihe von Renegaten.«

»Es tut mir leid, Alex, aber ich glaube, Sie sind ein alternder Renegat.«

»Wieso?«

»Weil Sie die Möglichkeit akzeptieren, daß die Vergangenheit vielleicht doch tot ist. Sie halten sie für eine verlorene Sache. Das finde ich ermutigend.«

Er nickte nüchtern.

»Vielleicht haben Sie recht. Am Ende bleibt mir vielleicht nicht mehr als ein neuer Name und eine verlorene Sache. Aber dann möchte ich wenigstens in Erinnerung behalten, daß es eine verlorene Sache gegeben hat.« Er zischte die letzten Worte, die Fäuste geballt. Julia senkte betroffen den Blick.

Parnell stand auf.

»Ich muß zurück.«

Julia hob langsam den Kopf. Beinahe wehmütig sagte sie: »Ich weiß nicht mehr, was ich Ihnen sagen soll, Alex.«

Parnell nickte.

»Lassen wir es dabei.«

»Nein«, sagte Julia. »Ich möchte Sie sehen.«

»Es wird aber vielleicht nicht besser.«

Sie lächelte.

»Sie sollen nicht so verflixt unabhängig sein. Um mich reißen sich die Leute. Sagen Sie etwas.«

»Also gut. Heute abend.«

Das Buch war broschiert und sah aus wie tausend andere. Aber irgend jemand hatte einen Fehler gemacht; es gehörte nicht nach Adams. Parnell bemerkte es beim ersten Durchblättern gar nicht, weil es sich nur um eine Sammlung von Plänen und Grundrissen handelte, offenbar von Adams selbst. Er warf es auf die Seite und vergaß es, aber Stunden später tauchte ein Wort vor seinen Augen auf: ›Archive‹. Was war daran so zwingend?

Aber dann ging es ihm auf. Die Archive würden Dokumente enthalten. Vielleicht historische. Vielleicht lagerten dort die verlorenen Ereignisse der Vergangenheit.

Aufgeregt suchte er das Buch heraus und überflog die Seite. Sie trug keinen Titel, ein Netz von Räumen und Korridoren und kaum lesbaren Erklärungen. Aber einer der Räume, größer als die umliegenden und mit einem kreisrunden Kern, vielleicht eine Art Lagerraum, trug die rätselhafte Bezeichnung ›Archive‹. Parnell konnte sich an einen solchen Ort im Sektorenzentrum nicht erinnern. Er ging die Grundrisse durch, bis er sich einen genauen Überblick verschafft hatte. Für die Archive gab es keinen Platz. Wo befanden sie sich?

In gewissem Sinn war es befriedigend. Mehrere Blätter mit Grundrissen aus der geheimnisvollen Welt außerhalb waren versehentlich in diesem Band mit eingeheftet worden; irgend jemand im Komplex, diesem Muster an Unfehlbarkeit, hatte einen Fehler begangen.

Aber wo waren die Archive? Irgendwo hinter den Tunnels in dem gigantischen Labyrinth des Komplexes außerhalb der Medizinischen Abteilung. Er war überzeugt davon. Er schloß enttäuscht die Augen. Irgendwo hinter unüberwindlichen Hindernissen schwamm im grenzenlosen Meer der Coelacanth. Der Summer schreckte ihn auf; die Bücherei wurde geschlossen. Erst jetzt fiel ihm Julia ein. Er hatte vergessen, sich mit ihr zu treffen.

Er fand sie am folgenden Spätnachmittag in der Cafeteria. Sie saß am selben Tisch und zeigte ein Lächeln von unendlicher Geduld. Er setzte sich zu ihr, verflocht die Finger ineinander und wartete.

»Na schön. Heraus damit.«

Julia rührte in ihrem Kaffee. Sie wirkte beunruhigend munter.

»Schon geschehen. Gestern nacht. Und heute früh noch ein bißchen. Jetzt geht es wieder gut.«

»Es ist einfach so passiert«, sagte Parnell. »Ich hatte zu tun.«

»Sie sind enorm fleißig«, sagte Julia spöttisch.

»Ich – es tut mir leid.«

»Na gut«, sagte sie lächelnd. »Übertreiben Sie es nicht. Ich weiß, was Sie sind; Sie sind ein rücksichtsloser Mensch, und ich muß eben meine Erfahrungen machen.«

Sie gingen zum Hofraum hinauf, liefen eine Weile schweigend herum, setzten sich schließlich auf eine Bank am Bach. Die Sonne war schon untergegangen, der Himmel aber noch farbig getönt. Parnell warf einen Kieselstein ins Wasser. Er hob den Kopf und sah die Beobachtungskuppel, in die er eingedrungen war.

»Davon habe ich gehört«, sagte Julia.

Er fuhr herum.

»Was?«

»Von Ihnen, da oben.« Sie lächelte listig. »Ich weiß mehr über Sie. Sie sind ziemlich berühmt. Wußten Sie das?«

»Nein. Was wissen Sie noch?«

»Ganz sicher bin ich mir nicht«, gab sie zu. »Ich habe über Garfield etwas gehört.« Sie grinste. »Entweder haben Sie jemanden umgebracht oder einen Brand gelegt.«

»Alles ist wahr. Ich werde unruhig.«

»Sind Sie es jetzt auch?«

»Nein. Im Augenblick bin ich ruhig.«

»Soll ich Ihnen etwas sagen, Alex?« Sie blickte hinauf. »Ich bin da auch gewesen.«

Er sah sie prüfend an.

»Sie glauben mir nicht.«

»Auf der Mauer?«

»Es tut mir nur leid, daß mir die Besuchsstunden nicht bekannt waren.«

»Ich bin hinaufgeführt worden. Jeder wird es, früher oder später. Das wußten Sie nicht, wie?«

»Nein.« Seine Stimme klang hart.

»Ich sage nur – Sie hätten sich nicht mit Gewalt durchsetzen müssen. Das ist Teil einer Reaktion. Sie kämpfen ständig, weil Sie glauben, daß man alles verbirgt. In gewisser Weise stimmt das auch. Aber nicht, weil es Geheimnisse sind. Man will sichergehen, daß Sie auch bereit dafür sind. Man

84

muß warten, Alex. Man muß die Gewißheit haben, daß Sie nicht geschädigt werden.«

»Sie sind in der falschen Abteilung«, sagte Parnell. »Sie sollten die Propaganda übernehmen.«

»Ich bin am Leben, weil man etwas getan hat«, erwiderte sie zornig. »Und Sie auch.«

»Vielleicht ist das der Unterschied zwischen uns. Ich bin mir nicht sicher.«

»Wir drehen uns im Kreis, Alex«, sagte sie bedrückt.

»Ja, ich weiß.« Er packte einen Stein und schleuderte ihn, so weit er konnte. »Irgend etwas stimmt nicht«, sagte er. Er ärgerte sich über sich selbst. Er hatte beschlossen gehabt, Julia von seinen Zweifeln auszunehmen. Er setzte sich wieder und sagte: »Vergessen wir es.«

»Gut.«

Er legte sich ins Gras. Es war kühl und fühlte sich feucht an, und er dachte an die Erholungsanlage von Garfield und den scharf schmeckenden Grashalm. Auch der war künstlich gewesen. Ein Pünktchen glitt über einen Winkel des Himmels und war verschwunden; ein Flugzeug. Das Motorengeräusch hallte im Hofraum nach. Parnell hatte schon ein oder zwei Flugzeuge bemerkt. Wohin flogen sie?

Ganz plötzlich wurde es dunkel. Mit der verblassenden Sonne legte sich der sanfte Wind, und die Bäume wurden still. Julia blickte zum Himmel hinauf. Ihr Gesicht besaß eine weiche, geheimnisvolle Schönheit; warum hatte er sie zuvor nie entdeckt? Er streckte die Arme aus, und Julia ließ sich vor ihm auf die Knie nieder. Als sie sich küßten, war es ein zartes Schmelzen, so als wollten beide ausdrücken, daß es Süßeres als die Leidenschaft gab. Mit stummer Zärtlichkeit fuhr Parnell mit dem Finger über ihre Wange. Ihre Augen schimmerten.

»Was ist, Julia?«

»Nichts. Ich bin glücklich.«

Die Lampen im Hofraum wurden hell, grell und schneidend. Julia stand auf und zerrte an seiner Hand.

»Wohin gehen wir?«

»In mein Zimmer. Ich will ein Bett. Und weiße Laken. Ich will dich.«

*

Julias Augen waren geschlossen, als die Welle unaussprechlicher Süße über sie hereinbrach. Und dann passierte es.

Er war schlagartig in dem geisterhaft stillen Zimmer mit den sich bauschenden Vorhängen; durch die Glastüren konnte er den warmen Schimmer der Straßenlaterne sehen und dahinter das raschelnde Laub von Bäumen in einer stillen Straße.

Und er war ein Teil dieses seltsamen Bildes beinahe unerträglicher Stille; er lag in einem Bett, blickte an dem Messinggestell vorbei durch das Fenster und die Vorhänge auf die Straße. Er war nackt, und eine Frau lag warm an seinem Körper, wie Julia jetzt. Sie hatte sich an seiner Brust vergraben, das Gesicht von den Haarflechten bedeckt.

Das Bild verschwand. Er war wieder in Julias Zimmer, ihren Kopf an seiner Schulter. Unwillkürlich entrang sich ihm ein Laut qualvoller Verwirrung, und er zuckte hoch.

Julia knipste die Wandbeleuchtung an und streckte die Hand nach ihm aus.

»Alex. Was ist?«

Er schüttelte den Kopf.

»Nichts.«

»Alex – sag es mir.«

»Nichts«, wiederholte er und legte sich zurück, aber sein Blick ging ins Leere.

»Was hast du gesehen, Alex?« fragte Julia leise.

Er sah sie überrascht an. Leugnen war zwecklos. Er schwieg einen Augenblick gepeinigt, dann sagte er: »Eine Frau.«

Julia sah ihn erstaunt an.

»Wen?«

Er schüttelte den Kopf.

»Ich weiß es nicht. Wir lagen im Bett. Ich konnte ihr Gesicht nicht sehen.«

»Was noch? Hast du noch etwas gesehen?«

»Das Zimmer, in dem wir lagen. Ich konnte auf die Straße hinaussehen. Es war ein Messinggestell. Ich sah durch die Glastüren eine Straßenlaterne. Aber –« Er verstummte. »O Gott, Julia.«

Sie legte die Hand beruhigend auf seinen Hals.

»Sag es mir, Alex. Es ist ja gut.«

Aber plötzlich fühlte er, daß er schon zuviel gesagt hatte. Es war unmöglich, die beinahe erstickende Last zu schildern, die seine Vision ihm auferlegte, und auf irgendeine Weise gehörte sie ihm ganz allein.

»Nichts sonst«, sagte er.

»Bist du sicher?«

»Ja.«

Julia küßte ihn und lächelte.

»Ich weiß, was es war, Alex«, sagte sie leise und ließ den Kopf auf seine Brust sinken.

»Ja?«

»Es hat damit zu tun, daß wir uns geliebt haben. Es ist etwas Körperliches, Alex. Das erstemal für dich, nicht wahr, seit du neu bist?«

»Ja.«

»Dann ist es ganz einfach. Du hast das Mädchen und mich in Verbindung gebracht. Es hat nichts zu bedeuten.«

»Ich bekomme keinen Rückfall?«

»Nein. Das hat jeder. Winzige Blicke in die Vergangenheit. Nur wagt niemand, davon zu reden. Es bedeutet nichts und verschwindet wieder. Wir haben das alle erlebt. Das sollst du wissen, Alex.«

»Danke – Fräulein Doktor.« Er grinste. »Ich fühle mich schon viel besser.«

Das Bild war verschwunden, aber es blieb eine düstere, alptraumhafte Vorahnung. Deshalb mußte er die Archive finden.

15

Am nächsten Morgen studierte Parnell das Buch mit den Grundrissen erneut, ohne sich aber zurechtzufinden.

Nach der Arbeit traf er sich mit Julia, sprach aber kaum etwas. Später besuchten sie einen Film über die amerikanische Kolonisation, aber Parnell war zu unruhig und stand nach der Hälfte des Films auf. Julia, die seine Stimmung spürte, drängte ihn nicht, sie zu begleiten. Sie ging zu ihrem Zimmer, und Parnell lief eine Stunde lang in den Korridoren herum.

Irgendwann unterwegs richtete sich seine Aufmerksamkeit auf einen Feuermelder. Sie standen in großen Abständen in jedem Korridor, dunkelrote Kästen mit Glasscheiben. Dahinter Feuerlöscher und ein grellroter Alarmknopf. Unter dem Kasten, kaum bemerkbar, ein kleines Plättchen mit Ziffern und Buchstaben.

Die Bibliothek wurde eben geschlossen. Der Aufseher, ein Kalfaktor, brachte keinen Widerspruch zustande, als Parnell sich an ihm vorbeizwängte und im Katalograum verschwand.

Parnell öffnete hastig das Buch und fand den Feuermelder, der ihm aufgefallen war; der Funke, der ihn in die Bibliothek getrieben hatte, war der Verdacht, daß die Codenummern der Feuermelder in den Plänen vermerkt waren, ohne daß es einen Hinweis auf die Funktion dafür gab.

Er fand den Plan mit den Archiven und sah vergleichbare Codenummern, die nur Feuermelder bezeichnen konnten. Das Gerät, das ihm aufgefallen war, trug die Bezeichnung ›MA – A – RR 21 – Gu 25-432/ASP 31‹. Andere Stellen in Adams unterschieden sich nur in der zweiten und dritten Gruppe. Die Feuermelderschlüsselzahlen im Bereich der Archive sahen ganz anders aus; auf der Seite standen drei, und sie lauteten: ›DA – M 9 – Ku 21-13/APS 22‹; ›DA – M 10 – Ku 21 – 311/ASP 22‹; und ›DA – M 11 – Ku 21 – 309/APS 22‹.

Parnell erkannte schnell, daß die Verschlüsselung nicht so unauffällig war, wie es zunächst den Anschein hatte. Die ersten beiden Gruppen bei den Adams-Feuermeldern waren ziemlich leicht zu entziffern: ›MA – A‹ konnte nur für ›Medizinische Abteilung – Adams‹ stehen, und RR 21 mußte die Korridorbezeichnung sein, weil es der ›RR‹-Korridor gewesen war, in dem er den Feuermelder bemerkt hatte.

Parnell wollte sich eben die Nummern aufschreiben, als der Kalfaktor den Kopf hereinsteckte.

»Wir schließen jetzt aber wirklich«, sagte er schüchtern.

»Bin gleich fertig«, gab Parnell zurück und wartete, bis sich der andere zurückgezogen hatte, bevor er ein paar Bücher unter den Arm klemmte, dazwischen den Band mit den Plänen.

Er ging sofort in sein Zimmer, aber wie das Schicksal es haben wollte, wartete dort Brown auf ihn.

»Ich habe die Nachricht bekommen«, stieß er hervor. »Nächste Woche beginnt die Schlußeinweihung bei mir.«

»Na fein«, sagte Parnell.

»Ja, ja, danke«, sagte Brown nervös. »Hören Sie, Parnell, ich mache mir ein bißchen Sorgen wegen dieser Einweihung, man hat die Wahl, verstehen Sie –«

»Ah, Sie meinen, ob Sie um dreißig Tage Verlängerung nachsuchen sollen oder nicht?«

»Ja, genau«, sagte Brown erleichtert. »Aber nur, weil ich finde, daß man nichts überstürzen soll.« Brown wirkte gehetzt und unsicher. »Man ist vorsichtig in einem solchen Augenblick«, fuhr er fort.

»Ich weiß auch nicht, ob ich Ihnen mehr sagen kann als der Ausschuß«, sagte Parnell. »Man geht davon aus, daß Sie bereit sind.«

»Ah, keine Frage«, sagte Brown mit falschem Lachen. »Ich bin natürlich bereit.«

»Soll ich Ihnen sagen, was ich glaube?«

»Durchaus, durchaus.«

»Sie sind kerngesund. Sie haben sicher nicht die geringsten Probleme. Dreißig Tage Verlängerung wären am Ende nur eine Quälerei für Sie.«

»Meinen Sie wirklich, Parnell?«

»Absolut.«

»Vielleicht haben Sie recht. Wäre ja auch dumm, es jetzt noch einmal hinauszuschieben, nicht?« Er schlüpfte unter die Decke, sagte gute Nacht und warf sich fast eine Stunde lang hin und her, bevor er einschlief.

Parnell legte sich in sein Bett, dämpfte das Licht und nahm sich das Buch mit den Grundrissen und einen Schreibblock vor. Er schrieb die drei Feuermelder im Bereich der Archive mit ihren Schlüsselzahlen nieder und darunter die drei entsprechenden Melder in Adams, weil im ›ZZ‹-Korridor einer der Tunnel begann. Auf dem Blatt stand:

DA – M 9 – Ku 21 – 309 – ASP 22
DA – M 10 – Ku 21 – 311 – ASP 22
DA – M 11 – Ku 21 – 313 – ASP 22
MA – A – ZZ 44 – Gu 25 – 426 – ASP 31
MA – A – ZZ 46 – Gu 25 – 428 – ASP 31
MA – A – ZZ 48 – Gu 25 – 430 – ASP 31

Da ›MA – A‹ für Medizinische Abteilung Adams stand, mußte ›DA‹ eine andere Abteilung bezeichnen. Die zweite

Gruppe betraf Korridorangaben. Die dritte war ein Rätsel, ebenso ›ASP‹.

Dann begriff er teilweise. Adams lag 25 Stockwerke unter der Erde; das 25 bedeutete also ›Unteretage‹ – wie das ›21‹ beim Archiv-Bereich. Die Archive befanden sich demnach vier Stockwerke über ihm.

Nachdem er sich eine Weile den Kopf zerbrochen hatte, ging ihm auch der Sinn von ›ASP‹ auf. Das konnte nur heißen ›Alarmsystem Platz 22 oder 31‹. Nur das ›G‹ und ›K‹ vor den Etagen wollten ihren Sinn nicht preisgeben.

Parnell studierte das Buch mit den Grundrissen von neuem und kam auch hier dahinter. Er hatte vergessen gehabt, daß nicht alle Feuermelderplätze in Adams die Bezeichnung ›G‹ trugen; vielmehr wurden alle Buchstaben des Alphabets verwendet. Er begriff, daß sie als eine Art geographischer Längen- und Breitengradbezeichnung dienten, unsichtbare Meßeinheiten, ausgehend von einer irgendwo verwahrten Hauptkarte aller Feuerlöscheinrichtungen im gesamten Komplex.

›309‹, ›311‹ und ›313‹ waren demnach Ortsbezeichnungen, und ›Ku 21 – 309‹ hieß, daß sich dieser Feuermelder in der 21. Unteretage befand, Hauptkartennummer K 309. Im Grunde also nichts anderes als eine doppelte Verschlüsselung, einmal für die Abteilung, einmal mit Gesamtblick auf den Komplex.

Parnell zeichnete mit dem Maßstab des Plans von Adams ein Gitter und markierte Sekunden später eine Stelle mit einem Kreuz – hier mußte sich, vier Etagen höher, das Archiv befinden.

Um dorthin zu gelangen, mußte er, sobald er die 21. Etage erreicht hatte, mindestens einen Kilometer zurücklegen. Im Augenblick schien das aber das kleinere Problem zu sein. Zuerst hieß es, aus der Medizinischen Abteilung hinauszugelangen.

Als er am Abend wieder mit Julia zusammentraf, hatte er seine Ungeduld bezähmt. Sie sah ihn argwöhnisch an.

»Du haßt mich heute nicht?«

»Nein. Hast du gestern gedacht, ich hasse dich?«

»Wenn jemand meinen Körper zurückweist, werde ich sehr unsicher.«

»Du hast Glück«, meinte Parnell. »Heute weise ich ihn nicht zurück.«

Später, warm und geborgen in seinem Arm, schlief Julia ein. Parnell schloß die Augen, aber sein Gehirn arbeitete fieberhaft. Er dachte an die Tunnel und an die Ausweisplakette, die er brauchte, um zu den Archiven zu gelangen.

16

Es dauerte eine Woche. Dann entdeckte Parnell einen ernsthaften, kleinen Kurier, der die Medizinische Abteilung offenbar mit Widerwillen betrat. Er schlich an den Wänden entlang und mied jeden Kontakt mit Durchgangspatienten.

Parnell folgte ihm bei zwei ganzen Runden, am Vormittag des einen, am Nachmittag des nächsten Tages, und wußte, daß er den Richtigen gefunden hatte.

Am nächsten Tag verließ Parnell heimlich den Katalograum und schlich zur Transitstelle Drei, wo der Kurier stets auftauchte. Punkt 16.10 Uhr bog er um die Ecke und stakte auf kurzen Beinen den Korridor entlang. Parnell folgte gemächlich; Eile tat nicht mehr not. Er wußte, wohin der Kurier ging.

Zwanzig Minuten später, nachdem der Kurier seinen letzten Besuch gemacht hatte und zur Transitstelle zurückhastete, fing ihn Parnell in einem stillen Korridorstück hinter der Bibliothek ab.

»Sicherheitsdienst M.A.«, sagte Parnell scharf. Er zeigte seine Plakette, an der er ein winziges Siegel der Vereinigten Staaten befestigt hatte, ausgeschnitten aus einem Buch über Entscheidungen des Obersten Gerichtshofs.

Der erschrockene Kurier schaute sich um. Er schien davonlaufen zu wollen.

»Routineüberprüfung«, sagte Parnell beruhigend. »Kann ich Ihre Ausweisplakette sehen?«

Der Kurier faßte sich.

»Was soll denn das?« fragte er. »Mich hat noch niemand angehalten.«

»Tut mir leid. Ein paar Mißbildungen laufen frei herum. Ziemlich gefährlich. Wir müssen alle Leute überprüfen.«

Der Kurier kramte widerwillig in seiner Tasche.

»Ich bin nicht mal Durchgangspatient«, sagte er. »Hier.« Er gab ihm die Plakette. »Sehen Sie, da steht ›Nachrichtenzentrum‹.«

»Ich weiß, es ist ärgerlich«, meinte Parnell. »Wir müssen alle unter die Lupe nehmen. Sie müssen mitkommen. Nur den Korridor hier entlang.«

Der Kurier eilte ihm angstvoll nach.

»He, wohin wollen Sie denn? Sie haben meine Plakette! Ich muß zurück!«

»Dauert keine zwei Minuten.« Parnell sah ihn argwöhnisch an. »Warum so eilig?«

Der Kurier senkte den Blick.

»Nur so. Der Tag war eben lang, das ist alles.«

Parnell brummte etwas und ging weiter.

»Können Sie nicht ein bißchen durch die Finger sehen?« jammerte der Kurier.

Parnell blieb vor dem Eingang zum Katalograum stehen.

»Na schön –« Er blickte auf die Plakette. »Wie heißt das?«

»Portmanteau«, sagte der Kurier. Er starrte die nackte und irgendwie unheimliche Tür an. »He, was geht da vor? Was treiben Sie da überhaupt? Können Sie mich nicht laufenlassen?«

Parnell sah ihn von oben bis unten an.

»Passen Sie auf«, sagte er. »Mal sehen, was ich für Sie tun kann. Sie wollen zurück, wie?«

»Ja«, sagte der Kurier eifrig. »Sie wissen ja.«

Parnell nickte.

»Okay. Warten Sie hier. Mal sehen, ob ich Sie durchschleusen kann.«

»Sehr freundlich«, sagte der Kurier und zwinkerte ihm zu.

Parnell verschwand im Katalograum. Ein paar Minuten später trat er lächelnd hinaus.

»Na, noch mal gutgegangen«, sagte er, und fügte leise hinzu: »Ich habe den Jungs einen Tip gegeben. Sie brauchen nichts zu befürchten. Aber dichthalten, ja? Das braucht sich nicht herumzusprechen.«

»Oh, gewiß«, sagte der Kurier erfreut. Er steckte seine Plakette ein und klopfte Parnell auf die Schulter. »Vielen Dank.« Kurz darauf war er verschwunden.

Parnell kehrte in die Bibliothek zurück und betrachtete seine Arbeit. In den wenigen Minuten hatte er die Oberfläche der Plakette als verzinkt erkannt, mehrere Fotokopien und einen Wachsabdruck angefertigt. Die Plakette war aber schwerer nachzugestalten, als er angenommen hatte. Im Bastelsaal gab es jedoch einen Brennofen. Parnell stellte einen Tonabdruck her, bestrich ihn mit Polyäthylen und klebte einen Zinkstreifen darauf. Im Brennofen wurde die Plakette gehärtet, und er konnte sie ungesehen einstecken.

Am Abend klammerte sich Julia beinahe fieberhaft an ihn. Sie hatte feuchte Augen.

»Was ist denn?« fragte Parnell.

»Alex, ich liebe dich. Ich möchte nicht, daß sich etwas ändert.«

»Nichts wird sich ändern. Wir kommen hier hinaus und sehen dann weiter.«

»Alex – wir beide müssen wichtiger sein als alles andere. Wichtiger auch, als hier zu sein oder hinauszukommen.«

Irgendeine dunkle Vorahnung schien sie zu warnen und zu erschrecken. Parnell dachte noch eine Weile daran, dann beschäftigten ihn wieder die Archive.

Am nächsten Abend um 19.00 Uhr näherte sich Parnell der Transitstelle Drei. Es war der entlegenste der drei Tunnel, aber um diese Zeit herrschte auch anderswo kaum noch Betrieb. Er sah sich im Korridor um; alles still. Parnell atmete tief ein und steckte die Plakette in den Schlitz.

Zu seinem Erstaunen geschah zunächst gar nichts – weder wurde die Sperre geöffnet, noch gab es Alarm. Dann näherte sich jemand im Korridor, und Parnell wollte die Plakette wieder herausziehen. In diesem Augenblick leuchtete die grüne Lampe auf. Es war, als habe das Sensorgerät, verblüfft über eine selbstgemachte Plakette, erst ihren Wert prüfen müssen.

Er schaute sich nicht um, lief durch den Tunnel und bog in den neuen Korridor ein. Jeden Augenblick rechnete er dabei mit dem Alarmsignal. Zwei Offiziere kamen heran. Ganz unbewußt identifizierte er sie als Major und Oberstleutnant – und wurde sich gleichzeitig bewußt, daß er in der Medizinischen Abteilung niemals Uniformen gesehen hatte.

Die Offiziere gingen vorbei, ohne ihn eines Blickes zu würdigen. Parnell fand die Aufzüge und fuhr die vier Stockwerke mit einer Gruppe ernst blickender Zivilisten hinauf. Die Türen öffneten sich, und Parnell stieg im 21. Stockwerk aus. Die Korridore waren still; u 21 besaß wenig Ähnlichkeit mit seinem belebten Gegenstück vier Etagen darunter. Parnell ging an einer langen Reihe geschlossener Büros vorbei, dann an einer Lichtoase, einem großen Büroraum mit offener Tür, in dem sich drei Männer über ihre Schreibtische beugten.

Der erste Feuermelder, den er erreichte, trug die Seriennummer ›ST – Q 3 – Ku 238 – ASP 22‹. Die wichtigen Elemente waren die Korridorbezeichnung und die Hauptkartenlokation. Er befand sich vier Korridore und etwa siebzig Feuermelder von seinem Ziel entfernt. Er bog an der nächsten Kreuzung rechts ab und erreichte den ›M‹-Korridor. Die Gänge waren praktisch verlassen, nur einmal ging eine ältere Frau vorbei, ohne ihn zu beachten.

Plötzlich wurde ihm klar, daß er vom ›M‹-Korridor abgebogen war, er wußte nicht, wie. Er stand vor einer Doppeltür.

Schlagartig explodierte sein Gehirn in einem Kaleidoskop von Farben. Die Farben blitzten durch einen weichen, impressionistischen Dunst, der ihn einzuhüllen begann. Er konnte sich selbst sehen, mit gräßlich verzerrtem Gesicht. Er schrie etwas, aber seine Stimme war stumm, erstickt in der samtenen Decke des geisterhaften Nebels. Und doch konnte er das Wort erkennen; er schrie ›Nein!‹ Immer und immer wieder: ›Nein!‹

Und dann war die Vision verschwunden. Er starrte die Doppeltüren an, schob den Gedanken an die peinigende Vision beiseite und lief zum ›M‹-Korridor zurück. Einige Schritte danach stand er vor einem Feuermelder mit ›DA‹-Bezeichnung. Er befand sich im Bereich der Archive. Und nun wußte er auch, was ›DA‹ hieß – es bestätigte sich kurz danach, als er an einem Büro mit der Aufschrift ›Dokumentenabteilung – Datenkontrolle‹ vorbeikam.

Nach der nächsten Kreuzung sah er eine Tafel an der Wand. Ein Pfeil stand unter dem Wort ›Archive‹.

Es war ein großer Raum, in dem die Stille einer Kirche herrschte. Unerwarteterweise gab es keine hohen Bücherregale, man sah überhaupt keine Bücher. Kleine, an einer Seite offene Nischen waren im Raum verstreut, und die Wände der Archive waren eine große Datenbank. Jetzt begriff Parnell; alles war auf Mikrofilm aufgenommen.

Etwa die Hälfte der Nischen war besetzt. In der Mitte des Saales stand ein runder Auskunftsschalter; ein Angestellter hob den Kopf, als Parnell hereinkam, und beugte sich wieder über seine Lektüre. Parnell ging auf einen Karteischrank zu und öffnete eine der Schubladen. Er brauchte nicht nach bestimmten Themen zu suchen, er wollte alles wissen. Die Karteikarten waren mechanisch zu bedienen. Mit der Schublade schob sich ein Monitor heraus. Neben ihr befand sich ein kleiner Hebel, mit dem man die Karten durch das Lesegerät befördern konnte, langsam oder schnell.

Es gab Positionspapiere, Verträge, Konkordate, Pakte, Übereinkünfte, Protokollvereinbarungen, Niederschriften internationaler Verhandlungen, öffentliche und private Papiere von Regierungsbeamten, Memoiren von Staatsmännern und Generalen. Vieles sagte ihm nichts, aber immer wieder stieß ein Name, ein Ort, ein Kongreßbeschluß, ein Präsidentialerlaß, ein internationales Abkommen durch die Vergangenheit.

Die Hinweise waren auch nicht, wie er befürchtet hatte, chronologisch beschränkt; viele bezogen sich auf die Jetztzeit, und Parnell begriff in einem Fieber der Erregung, daß er seinem Ziele nahe war. Eine Karte über ›Ogden, Jonathan, stellv. Außenminister; Scheidewege des 21. Jahrhunderts, Krise der Spaltung, Boten der Gefahr‹ erzeugte das Bild eines hakennasigen Mannes mit belustigten Augen, der an einer Meerschaumpfeife sog; eine andere Karte: ›Michaels, Daniel, Erz. Min.‹ ließ nicht den Menschen, sondern sein Buch vor Parnells innerem Auge auftauchen; er erinnerte sich jetzt genau, eine ökologische Warnung. Und in seltsamem Gegensatz dazu führte eine Karte über ein Übereinkommen zwischen Frankreich und Italien über landwirtschaftliche Erzeugnisse zum Bild des Mittelmeers an der Riviera; er konnte sich neben einem Fahrrad stehen sehen; die Sonne war warm, der Wind vom Meer kühl.

Parnell spürte, daß er seine Zeit vergeudete. Er schloß die Schublade und schaute sich um; niemand achtete auf ihn. Er ging zur ›H-I-K‹-Kartei und betätigte den Hebel, bis die Kategoriekarte ›Krieg‹ erschien.

Jahrtausende des Kampfes, des Zusammenstoßes von Armeen, des Aufmarschs von Nationen, in alphabetischer Reihenfolge, in endloser, furchtbarer Prozession, von einem Ende der Welt zum anderen. Wie eine tobende Flut, von der Bibel an bis zu den Weltkriegen des 20. Jahrhunderts, fegte das gewalttätige Kind der Geschichte durch sein Gehirn und lud sein Gedächtnis auf. Aber dann gab es keine Kriegskategorien mehr.

Er starrte vor sich hin. Es gab keine Hinweise auf die letzten fünfzig Jahre, nichts über den letzten apokalyptischen Sturm, der die neue Welt hatte entstehen lassen.

Es war eine vernichtende Enttäuschung. Er schaute sich wie verwirrt um. Wie konnten die Menschen hier so passiv sein? Weshalb betraf sie das nicht? Sie waren nicht anders als die Pflanzen, die aus der Behandlung hervortraten.

Parnell fiel ein, daß in dem Plan der Archive ein kreisrunder Raum enthalten gewesen war, und er fragte sich, weshalb er vorhanden sein sollte, wenn er nicht seltene und kostbare Dokumente enthielt.

Auf der anderen Seite des Saales gab es eine Tür, und Parnell ging unauffällig darauf zu. Der Angestellte beschäftigte sich mit einem Besucher. Eine Metalltafel neben der Tür verkündete: ›Tresor – Nur Status I‹. Erstaunlicherweise schien der Zugang nur von einem einzigen Auslöseknopf abzuhängen. Parnell hielt sich eine Sekunde zurück; es erschien fast zu einfach. In diesem Augenblick der Unentschlossenheit flackerte zweimal die Beleuchtung.

Parnell fuhr überrascht herum. Der Angestellte hatte eben eine Taste gedrückt und begann aufzuräumen. Die Besucher standen auf. Parnell schaute ungläubig auf die Wanduhr. 21.00 Uhr. Er begriff, daß er eineinhalb Stunden an der Kartei verbracht hatte, und wurde sich bewußt, daß die Bibliothek hier eine Stunde früher schloß als in Adams.

Er drehte sich wieder um und streckte die Hand nach dem Knopf aus, aber die Stimme des Angestellten hallte plötzlich durch den Saal.

»Sir!« Er hatte seinen Schalter verlassen und kam lächelnd auf Parnell zu. »Wir schließen, Sir. Hier können Sie nicht hinaus. Sie müssen die Korridortür benutzen.«

»Gut«, sagte Parnell und ging hinter dem Angestellten zum Schalter zurück, aber im allgemeinen Aufbruch konnte er heimlich umkehren und den Knopf drücken. Die Tür glitt auf, und Parnell schlüpfte hinein, hörte, wie sie sich hinter ihm schloß, und begriff, weshalb es so einfach gewesen war. Er stand in einem schmalen Korridor vor einer massiven Metalltür – dem eigentlichen Eingang zum Tresor. Im Korridor selbst gab es noch zwei Türen, wovon eine offenbar zum Außenflur führte. Die andere öffnete sich in einen kleinen Lagerraum. Parnell huschte hinein und wartete. Sekunden später tauchte der Angestellte auf. Er summte vor sich hin, prüfte die Tür zum Außenkorridor und ging ins Archiv zurück. Kurz danach erlosch das Licht, und es wurde still.

Parnell schloß die Augen und wartete. Nach zwanzig Minuten trat er in den Flur hinaus und bemerkte sofort ein Licht neben der Tresortür. Es glomm rötlich in der Dunkelheit. Rechts neben der Tür befand sich ein Druckknopf-Kombinationsschloß; das rötliche Licht stammte von dort. Die Knöpfe waren von 1 bis 9 numeriert, und darunter gab es drei quadratische Glasprismen. Über der Tafel stand: ›Nur Status I‹ und in kleineren Buchstaben: ›Unbefugte haben strenge Disziplinarmaßnahmen zu gewärtigen‹.

Er starrte die Tafel an und begriff, wie nutzlos seine Schlauheit gewesen war. Er hatte sich in eine Sackgasse manövriert und verloren.

Trotzdem hielt ihn der Instinkt zurück. Zu seiner eigenen Verwunderung nahm er die Plastikhülle auf der Tafel ab.

»Was denkst du dir eigentlich dabei?« Die Stimme war seine eigene, euphorisch und dennoch skeptisch. Die geheime, betäubende Wahrheit dieses Augenbllicks war nämlich, daß er genau wußte, was er tat. Die launische Erinnerung war wieder aus ihrem stillen Gewölbe gekrochen. Er wußte jetzt, daß er schon in den Archiven gewesen war. Daß er den Tresor schon einmal betreten hatte. Geheimes Wissen strömte durch seine Fingerspitzen. Er drückte eine Anzahl von Knöpfen, und die Glasprismen blinkten grün auf.

Hastig begann er mit der zweiten Zahlenfolge. Es ging schnell, und Parnell starrte die Tafel ungläubig an. Zwei der drei Folgen waren geschafft. Seine Hand zitterte. Er schloß die Augen und dachte: O Gott, laß es nicht aufhören. Und er begann mit der dritten Folge. Es ging langsamer.

Plötzlich erstarrte Parnell. Eine dumpfe Stimme, nicht seine eigene, erhob sich aus der Stille. Eine andere antwortete, dann ein Lachen. Schlagartig waren die Stimmen verklungen.

Parnell fuhr herum. Die Laute waren durch das Gitter eines Ventilationsschachts vom Stockwerk darüber gedrungen. Er atmete auf und wandte sich wieder dem Kombinationsschloß zu.

Es war vorbei. Er starrte entgeistert vor sich hin. Wie ein empfindlicher, unbeachteter Gast war seine Erinnerung geschwunden. Er wartete entsetzt, den Blick auf die Knöpfe gerichtet. Das dritte Prisma blinkte höhnend.

Plötzlich strahlte Licht aus der Tafel, grellrot: ›Korrigieren. Korrigieren‹. Und im selben Augenblick tauchte die Zahl ›30‹ auf. Parnell verfolgte den Countdown in hilflosem Entsetzen; er wußte nicht, wie er die eingetippten Zahlen korrigieren sollte.

Es blieb noch Zeit, davonzulaufen, in den Korridor hinauszurennen, aber er konnte sich nicht bewegen. Er war zu weit vorgedrungen, um alles zu verlieren. Er zwang sich, die Hand zu heben und auf die Knöpfe zu drücken.

Mit erschreckender Plötzlichkeit schrillten die Alarmglocken. Ein Stahlgitter rasselte im Flur hinter ihm hinunter, und er saß in der Falle.

17

Annes Lächeln wirkte mitfühlend. Korman warf noch einen Blick in den Korridor und schloß hastig die Tür, bevor sie den Geburtstagsgruß rufen konnte. Sie hielt etwas Kleines, Teigiges, das ein Kuchen sein sollte, in der Hand, obenauf eine Kerze.

»Was soll denn das?« knurrte er.

»Wir feiern.«

»Herrgott noch mal, Anne«, sagte er müde. »Wer feiert schon Geburtstage? Wie spät ist es?«

»Fast sieben.«

Er legte die Aktentasche auf einen Stuhl.

»Hast du das den ganzen Tag gemacht? Kuchen gebakken? Ich hätte dich heute nachmittag brauchen können.«

»Das kannst du nachholen.« Sie stellte den Kuchen auf den Tisch.

Er sah sie an.

»Anne«, sagte er. »Ich habe Hayley gebeten, mich zu versetzen. Schriftlich.« Er nahm das Martini-Glas, das sie ihm gab, und trank. »Der Kerl hat natürlich abgelehnt.«

»Das war doch klar.«

»Ja, aber ich wollte etwas klarstellen.«

Anne zuckte die Achseln. »Eines Tages hört das Projekt auf, weil wir kein Rohmaterial mehr haben.«

»Wahrscheinlich. Das ist ihr Ausgleich, weißt du? Vom Krieg haben sie nichts gewußt. Sie brauchten sich nicht damit zu beschäftigen. Sie stiegen aus, bevor er anfing. Was ist dir vom Krieg in Erinnerung?« fragte er plötzlich.

Anne sah ihn erstaunt an. »Das hast du mich noch nie gefragt.« Sie starrte vor sich hin. »Ich war auf einem Boot. Mit einem sehr begüterten Freund namens Donald Lowery. Wir fuhren zu sechst hinaus, unberührt von der Seuche, es stand uns bis hierher, daß dauernd vom Kompressionsfaktor gesprochen wurde, wir wollten uns amüsieren. Es war herrlich. Nur einmal weg von den Massen, mit einem Boot, das groß genug war, um an allen vorbei auf einen Fleck Meer fahren zu können, den wir für uns hatten.«

»Weiter«, sagte Korman.

»Sonntag nachmittag«, sagte Anne. »Wir aßen etwas Großartiges, ich weiß nicht mehr genau. Alles war ideal, das Meer, der Himmel, wir sechs Menschen. Ich fürchtete mich nur vor der Rückkehr. Ich mußte am nächsten Morgen wieder in der Klinik sein. Donald tauchte mit einem Freund, Melissa, meine Freundin, und ich sonnten uns an Deck.« Anne trank. »Die Sonne ging unter. Donald machte einen Punsch, und ich drängte zur Heimkehr, weil wir hundert Kilometer draußen waren, aber alle anderen widersprachen. Wir tranken den kalten Punsch und sahen zu, wie die Sonne unterging. Du kannst dir nicht vorstellen, wie herrlich das war. Jemand warf Melissa und mich aus Spaß ins Wasser.

Als ich wieder ins Boot kletterte, leuchtete der ganze Himmel auf. Alles war so grell, daß man die Sonne nicht sehen konnte. Alles blitzte weiß auf, und man konnte nicht hinsehen. Dann hörten wir das Geräusch, wie Donner, aber tiefer. Es klang zornig, knurrend. Als wir wieder hinsehen konnten, war der ganze Himmel rot. Dann hörten wir etwas; es war eigentlich das Schlimmste, weil es so weit entfernt zu beginnen schien und dann immer lauter und lauter wurde. Das war natürlich der Luftdruck. Gräßlich. Kreischend, lauter als alles, was ich je gehört hatte, und wir sahen die Dunkelheit auf uns zufegen. Als sie näher kam, entdeckten wir, daß sie das Meer mitführte, so sah es aus. Wir saßen immer noch auf dem glasig wirkenden Wasser, und das ganze Meer ringsum begann zu brodeln.

Dann fing das Boot zu beben an, und ich wurde die Leiter hinunter in' die Kabine geschleudert. Ich spürte, wie das Boot herumgewirbelt wurde. Es schien auseinanderzubrechen. Ich bin wohl für ein paar Minuten ohnmächtig geworden. Nach einer Weile schien das Schlimmste vorbei zu sein. Das Boot schwankte immer noch, aber das Toben ließ nach. Ich erinnere mich, daß ich durch die Luke hinaufschaute. Ja. Ich schaute hinauf, und es war schwarz. Nicht dunkel, sondern schwarz.

Schließlich war es vorbei. Das Boot hörte auf zu schwanken, der Himmel wurde ein bißchen heller, nicht viel, weil es sowieso schon fast Nacht war, aber die entsetzliche Schwärze hellte sich ein wenig auf. Ich stand auf und fiel wieder hin. Ich war nicht schwer verletzt, nur blaue Flecken am ganzen Körper, nichts gebrochen. Dann zog ich mich an Deck. Ein Teil der Brücke war weggerissen worden. Alles, was nicht befestigt gewesen war, hatte es über Bord gespült. Ich stolperte über etwas Weiches. Eines der Mädchen war tot. Melissa und ein Mann waren verschwunden, fortgerissen von der Flutwelle. Donald hatte nicht einmal einen Kratzer davongetragen.« Anne verstummte.

»Weiter«, sagte Korman leise.

»Danach erschien nichts mehr wirklich. Das Boot trieb steuerlos dahin. Wir sprachen lange Zeit nicht miteinander. Donald und ich trugen die Tote in die Kabine und deckten sie zu. Nach einiger Zeit klarte der Himmel auf, aber über dem Land war er noch immer ganz dunkel.

Es war natürlich gut, daß Donald reich gewesen ist. Das hat uns gerettet. Seit Monaten war von einem Krieg gesprochen worden, und Donald hatte das Boot mit allem ausgerüstet, auch mit Mitteln gegen Strahlung. Wir blieben drei Tage draußen, und ich erinnere mich an keine drei Minuten davon. Der Himmel über dem Land wurde niemals heller. Er sah dick und gelb aus, wie Schwefel. Ich glaube, wir haben das Mädchen schließlich ins Wasser gekippt. Es blieb uns nichts anderes übrig. Und Donald konnte einen der Motoren reparieren. Auf dem Rückweg kamen wir an unfaßbaren Mengen von Wrackgut vorbei. Alle Boote, die draußen gewesen waren. Tausende. Dann erreichten wir die Bucht, und es war nichts ganz geblieben. Man sah nur Splitter. Man konnte es einfach nicht fassen. An Land waren viele Menschen. Das wunderte uns zuerst – daß so viele Leute am Leben geblieben waren. Allerdings war das zweihundert Kilometer vom Zentrum entfernt. Vom Epizentrum«, sagte sie spöttisch. »Aber sie hatten natürlich gar nicht überlebt. Binnen einer Woche waren sie alle tot. Ich erinnere mich, daß ich den Kopf hob, und da kamen Dutzende von Flugzeugen auf uns zu. Wir gerieten in Panik, wir dachten, sie wollten uns den Rest geben, aber es waren unsere eigenen Flugzeuge. Sie besprühten die ganze Bucht, weil ein Teil der Atlantikflotte einlief, obwohl wir das damals nicht wußten. Sie säuberten die Bucht und die Anlagen bei Norfolk und legten einen strahlungsfreien Korridor bis nach Washington frei. Den Leuten in den Strahlungszonen nützte das natürlich nichts, selbst wenn man sie von Kopf bis Fuß besprüht hätte. Für sie kam alles zu spät.« Anne seufzte erschöpft. »Ja. Wir lebten noch lange Zeit auf dem Boot. Donald und ich. Wir haben einander nicht mehr angerührt, weißt du? Wir schämten uns zu sehr, ich weiß es nicht. Der andere Mann war plötzlich verschwunden, und nach einiger Zeit tauchte auch Donald nicht mehr auf. Ich glaube, er ist einfach weitergegangen, bis er in der Strahlungszone war. Und eines Tages machte ich mich auf den Weg nach Washington. Man mußte zu Fuß gehen; es gab ein paar Hubschrauber, aber nichts am Boden außer ein paar Menschen. Es dauerte ungefähr zwei Wochen, und je näher man herankam, desto unfaßbarer wurde es. Alle Gebäude, alle Bauten entlang der Bucht waren zerstört. Aber es gab wenigstens noch Bruchstücke. Man konnte das Holz und die Steine und die Ziegel sehen. Wenn man aber nach Washington kam, sah alles zerstampft aus – so als habe man es durch eine Mühle gedreht.

Im Korridor gab es ein paar Feldlazarette, und ich machte

mich an die Arbeit. Dann schickte man mich in den Komplex. Damals lag er nur eben unter der Erde. Du kannst dir nicht vorstellen, wie viele Leute da hineingepfercht waren. Es war furchtbar, voller Patienten, alle vom Kompressionsfaktor zerrissen. Die Regierung hatte sie seit Monaten vor dem Krieg zusammengetrieben, um sie eines Tages retten zu können, weil Hayley nahe daran war, die Behandlung zu vervollkommnen.« Sie sah Korman scharf an. »Tja, das war mein Krieg«, sagte sie schnell. »Was halten Sie davon, Doktor?«

Korman leerte langsam sein Glas. Er stellte es weg und seufzte. Dann sagte er: »Was ist eigentlich aus dem Buch mit den zweihundert Stellungen geworden?«

Sie liebten sich, dann machte Anne etwas zu essen, alles ausgefallene Dinge, erbettelt, gestohlen oder eingetauscht. Sie aßen ein Stück von dem schiefen Kuchen, und Korman meinte, immerhin habe er heute Geburtstag, und schleppte sie wieder ins Bett.

Um 23.00 Uhr riß sie das Telefon aus dem Schlaf. Korman öffnete mühsam die Augen und sagte: »Dieser Saukerl.« Die Telefonlampe blinkte, und er starrte sie dumpf an.

»O nein«, stöhnte Anne.

Korman drückte auf den Empfangsknopf.

»Ja.«

»Korman, ich brauche Sie«, sagte Hayley knapp. Korman grunzte, Protest und Bestätigung zugleich, und die Lampe erlosch.

Korman blieb eine Weile liegen. Sie waren erst vor einer halben Stunde eingeschlafen. Er setzte sich ächzend auf und knipste das Licht an.

»Man muß es ihm lassen. Er weiß wenigstens, wann du die Nacht bei mir verbringst.«

»Vielleicht sollte ich ihm eine Krankenschwester besorgen«, sagte Anne gähnend. »Dann verbringt er vielleicht nicht die halbe Nacht damit, sich zu überlegen, weshalb er dich anrufen könnte.«

»Ich rede nicht von Hayley«, fauchte Korman und stand auf. »Ich rede von diesem Saukerl Parnell.«

18

Parnell war das Problem; damit hatte er gerechnet. Was er nicht erwartet hatte, war die Anwesenheit eines Mannes in Hayleys Büro, den er noch nie gesehen hatte. Der Mann trug Uniform und putzte seine Brille.

»Das ist Doktor Korman«, sagte Hayley zu ihm.

Der Offizier schwieg. Er setzte die Brille wieder auf und wartete.

»Ich kenne Ihren Namen nicht«, sagte Korman.

»Laird. Ich bin General Laird.« Er stand nicht auf und gab ihm auch nicht die Hand, wies aber freundlich auf einen Stuhl.

»Es handelt sich um Parnell«, sagte Hayley.

Korman ließ sich müde nieder.

»Was gibt es ?« fragte er.

»General Laird ist Sicherheitsoffizier«, antwortete Hayley so lakonisch, daß Korman wieder zu dem unauffälligen Laird hinübersah und sofort begriff, daß es ungemein schwer werden würde.

»Er ist in die Archive eingebrochen«, sagte Laird. »Beinahe wäre er in den Tresor gelangt. Ich möchte mich nicht näher darüber auslassen, Doktor, aber es geht um Sicherheitsfragen, und ich möchte meine Verantwortung dokumentieren.«

»Wo ist er jetzt?«

»Das meine ich, Doktor«, sagte Laird. »Wir haben ihn in sicherem Gewahrsam.«

Korman begriff; Laird hatte nicht die Absicht, Parnell freizugeben.

»Ich verstehe Sie nicht«, sagte Korman trotzdem. Er sah zu Hayley hinüber. »Ich kann mich nicht erinnern, ihn aus der Medizinischen Abteilung entlassen zu haben, Doktor.«

Hayley bewegte die Schultern.

»Das habe ich General Laird klargemacht«, sagte er lahm.

»Vielleicht drücken Sie sich deutlicher aus, General«, meinte Korman störrisch.

»Er wird wegen eines Verstoßes gegen die Militärstrafbestimmungen festgehalten«, erklärte Laird. »Es handelt sich nicht um ein harmloses Vergehen.«

»Was haben Militärstrafbestimmungen mit einem Patienten der Medizinischen Abteilung zu tun?«

»Es geht um einen Status-Eins-Verstoß, Doktor«, sagte Laird ruhig. »Wir müßten den Papst festnehmen, wenn wir ihn dort erwischen würden.«

»Und festhalten?« fragte Korman erbost.

Hayley sagte ungeduldig: »Nein, nein, Sie verstehen nicht. Er kann sechzig Tage eingesperrt werden.«

Korman zügelte sich und nickte nur.

»Als Minimum«, erläuterte Laird.

»Was erreichen Sie damit?« fragte Korman erstaunt.

»Das will ich Ihnen sagen«, brauste der General auf. »In diesen sechzig Tagen weiß ich, wo er ist. Lassen wir doch den Quatsch, Doktor. Hayley sagt mir, daß Sie ein intelligenter Mann sind. Sie wissen, daß wir uns nicht um die Jurisdiktion streiten. Wir reden von Parnell. Ich kann es mir nicht leisten, ihn frei herumlaufen zu lassen. Ich kann nicht zulassen, daß er in Ihrer Obhut bleibt. Sie verkorksen alles, Doktor. Was soll ich noch sagen?«

Korman sprang auf.

»Wir sind noch nicht fertig! Es ist noch nicht zu Ende!«

»Korman! Verdammt noch mal!« sagte Hayley.

Laird hob beschwichtigend die Hand.

»Schon gut«, sagte er zu Hayley. Er sah Korman an. »Also, Doktor?«

»So einfach ist das nicht«, erklärte Korman. »Ich will ihn hierhaben.«

»So?« sagte der General belustigt. »Ich will Ihnen sagen, was ich Hayley erklärt habe. Ich verlange eine zweite Behandlung.«

»Die gibt es nicht. Noch lange nicht.«

»Das hat man mir gesagt. Hören Sie, Doktor, wir müssen einen Mißerfolg verbuchen. Was können Sie jetzt noch beweisen? Er ist auf einem starren Gleis. Er wird nicht aufhören, oder?«

»Nein«, gab Korman bedrückt zu.

»Weshalb dann der Streit, Doktor? Lassen wir den Stolz und die persönlichen Dinge beiseite. Wenn Sie ihn nicht wieder als *tabula rasa* präsentieren, müssen Sie ihn einsperren. Die Frage ist dann nur noch, wo. Und ich kann das besser als Ihr Verein, das steht fest.«

Korman sank auf seinen Stuhl zurück. Die Konfrontation war sinnlos gewesen. Er begriff jetzt, weshalb Hayley kapituliert hatte. Das Problem war nicht Laird, sondern nach wie vor Parnell.

»Er wird rückfällig«, sagte Korman leise. »Wenn man ihn zu lange einsperrt, wird er rückfällig.«

»Und wenn er nicht eingesperrt wird?« fragte Laird ruhig.

Korman zog sich in quälendes Schweigen zurück. Schließlich sagte er: »Ich unterziehe ihn einer zweiten Behandlung. Es wird ein paar Wochen dauern, bis alles vorbereitet ist.« Er hob langsam den Kopf. »Aber unter einer Bedingung, General. Wir behalten ihn.«

Laird überlegte und schüttelte den Kopf.

»Nicht zu machen, Doktor.«

»Dann bei mir auch nicht. Ich muß ihn unter Beobachtung haben.«

Laird runzelte die Stirn.

»Ich halte nichts von Verantwortung ohne Kontrolle. Soll es wieder einen Verdunklungsvorfall geben? Wird er wieder an die Mauer gelassen?«

Hayley zuckte zusammen. Es war der erste Hinweis darauf, daß Laird über die Zwischenfälle informiert war.

»Nein«, sagte Korman. »Wir isolieren ihn. Aber ich muß ihn in Reichweite haben. Ich muß seinen Zustand genau kennen, bevor er erneut der Behandlung unterzogen wird.«

Laird zögerte und nickte dann düster.

»Ich lasse ihn herbringen.«

Er stand auf und verließ das Zimmer. Korman blieb sitzen und vergaß beinahe, daß Hayley noch im Raum war. Als er den Kopf hob, sah er, daß Hayley ihn beobachtete.

»Korman«, sagte er, »wie stehen die Chancen?«

Korman dachte eine Weile nach und sagte dann: »Nicht besser als fünfzig zu fünfzig.«

Hayley schien so etwas erwartet zu haben. Er nickte bestätigend. Und Korman wußte, was das bedeutete. Er war jetzt hoffnungslos verstrickt, nicht weniger als Hayley. Parnells Leben lag in seinen Händen.

19

Parnell schaute sich in dem winzigen Zimmer um, als die Tür hinter ihm zufiel, und dachte: Hier hat alles angefangen. Er war wieder in einem makellos weißen Mutterschoß. Mama, ich bin zu Hause.

Er sah freundlich zu der Kamera hoch oben in der Wand hinauf und hob grüßend die Hand.

»Nur herein, nur herein. Jeder muß leben.«

Es war spät, und er war müde. Er schlief auf der Decke ein, ohne sich ausgezogen zu haben. Am nächsten Morgen erwachte er und starrte in das Kameraauge. Er griff nach einem Schuh und schleuderte ihn an die Wand, nicht zu wuchtig, nur um die Kamera zu wecken. Dann zog er sich aus und duschte. Er blieb lange unter der Brause, und als er hinaustrat, hatte jemand ein Frühstückstablett durch einen Schlitz in das Zimmer geschoben, auf einen Tisch, der sich automatisch an der Tür entfaltete.

Er nahm das Tablett und warf es an die Wand. Das gab einen Heidenlärm, und Flüssigkeit und Fett tropften herab. Als die Mittagsmahlzeit kam, warf er sie auch an die Wand, sah sich die Flecken an und machte ein Nickerchen.

Am Abend ging die Tür auf, und Korman kam herein. Er starrte an die besudelte Wand und seufzte. Parnell entschuldigte sich mit einem Achselzucken.

»Ich hatte keinen Hunger.«

Hinter Korman erschien ein Aufseher. Er sah Parnell an, als rechne er jeden Augenblick damit, angefallen zu werden.

»Stört es Sie, wenn er saubermacht?« fragte Korman.

»Durchaus nicht«, gab Parnell zurück. »Das Muster hängt mir schon zum Hals heraus.«

Korman winkte den Mann herein; er brachte Schrubber und Eimer mit und säuberte das Zimmer in fieberhafter Eile, während Korman und Parnell wie bei einer Vorführung zusahen.

Als sie allein waren, sagte Korman: »Alex, erschweren Sie die Lage nicht.«

Parnell lächelte mitfühlend.

»Es war schwierig, wie?«

»Ja«, gab Korman zu.

»Und was nun?«

»Ich weiß es nicht. Ich bin nicht sicher.« Dann entfuhr es ihm: »Warum, zum Teufel, konnten Sie nicht alles so lassen, wie es war?«

Parnell lächelte.

»Doktor Frankenstein, von Ihnen kommt mir diese Frage eigenartig vor.«

Korman unterdrückte ein Lächeln.

»Der Teufel soll Sie holen, Parnell«, murmelte er. Und als er das gesagt hatte, schien alles zu zerfallen, und es tat ihm plötzlich leid, daß er gekommen war.

»Ich möchte, daß Sie mir einen Gefallen tun«, sagte Parnell. »Da ist jemand –« Er schüttelte den Kopf. »Lassen Sie nur.«

Korman drängte ihn nicht.

»Alex – was haben Sie in den Archiven gesucht?«

»Ich weiß es nicht. Ich wußte, daß mich das schließlich jemand fragen wird, aber ich weiß es nicht.«

»Warum sind Sie dann hingegangen?«

»Was ich nicht weiß, befindet sich dort, Doc. Im Tresorraum.« Er betrachtete Korman eine Weile. »Niemand hat es Ihnen gesagt, wie?«

»Nein.«

»Ich war sehr nah, Doc«, sagte Parnell wie zu einem alten Freund.

»Sie sind ein Idiot«, brummte Korman. »Eines Tages kommen Sie dahinter und bekommen Ihren Rückfall – etwa zwanzig Sekunden danach. Haben Sie sich darüber nie Gedanken gemacht?«

»Geben Sie mir die zwanzig Sekunden«, sagte Parnell.

Korman hob resigniert die Hände.

»Sie werden einige Wochen hier sein«, erklärte er wie zur Vergeltung.

Parnell nickte, um zu zeigen, daß er nicht überrascht war, daß er sich weigerte, überrascht zu sein.

»Gut, Doc. Aber Ihren Mann mit dem Schrubber halten Sie besser in Bereitschaft.«

Korman richtete sich auf.

»Wenn sie nicht essen wollen, ist das Ihre Sache.«

Das Tablett kam etwa eine Stunde später, und Parnell ließ es einige Zeit stehen. Er sparte es sich auf, so, als warte er auf eine bestimmte Eingebung, bevor er es an die Wand pfeffern würde. Der Augenblick kam, er schleuderte es an die Wand, legte sich hin und schlief.

Am nächsten Tag ging alles genauso. Die Tabletts wurden hineingeschoben und landeten an der Wand.

»Was willst du tun?« erkundigte sich Anne bei Korman. Sie sah auf dem Monitor zu; Parnell hatte eben ein Tablett an die Wand geknallt.

»Nichts«, sagte Korman mit unterdrücktem Zorn. »Der Kerl kann meinetwegen verhungern.«

Aber er hatte sich schon entschieden. Spät nachts, als feststand, daß Parnell schlief, schlich er sich lautlos in die winzige Zelle und gab ihm eine Hautkontaktspritze.

Am Morgen erwachte Parnell und fühlte sich auf seltsame Weise wohl. Das störte ihn, weil er unter den Auswirkungen seines Fastens eingeschlafen war. Er hatte den Hunger hinter sich gelassen, sein Kopf hatte gedröhnt, seine Bewegungen waren schwerfällig gewesen. Jetzt barst er vor Energie und entdeckte, daß er heißhungrig war. Als das Tablett Minuten später hereinglitt, war es beinahe eine schwere Entscheidung.

Spät nachts kam Korman wieder herein. Er berührte Parnells Arm mit dem düsenähnlichen Ende der Spritze und betätigte den Auslöser. Als er die Spritze zurückzog, drehte sich Parnell langsam um und sagte: »Nam nam, Doktor, prima. Was war das?«

Korman wandte sich erbost um.

»Tut mir leid, daß ich Sie enttäuschen muß«, sagte er tonlos. »Sie leben noch einen Tag länger.«

»Ein Mann muß protestieren, Doc«, sagte Parnell gelassen. »Ich bin hier etwas eingeschränkt.«

Korman packte die Spritze wieder ein und starrte an die Wand.

»Alex«, sagte er müde. »Alex, ich kann nur bis zu einem gewissen Punkt etwas für Sie tun. Ich bin auch eingeschränkt.«

Parnell sah ihn fragend an. Korman ging zur Tür.

»Doktor«, sagte Parnell. Korman drehte sich um. »Ihnen kann nichts passieren.«

Korman nickte. Er blieb stehen, mit dem Rücken zu Parnell. Plötzlich fuhr er herum, und seine Augen glitzerten.

»Würden Sie mit mir zusammenarbeiten? Ein einziges Mal? Ohne Tricks?«

Parnell zögerte.

»Warum?«

»Weil ich eine Idee habe.«

»Reden Sie.«

»Es würde voraussetzen, daß Sie Alex Parnell akzeptieren. Verstehen Sie?« Parnell antwortete nicht. »Hören Sie mir zu, Sie Idiot«, zischte er wütend. »Es hat keinen Zweck, den Märtyrer zu spielen. Wollen Sie wissen, wie viele Milliarden vor zwei Jahren zugrunde gegangen sind? Niemand weiß es genau. So viele waren es. Niemand weiß es!«

Parnell sah ihn unsicher an.

»Ich weiß nicht, was Sie sagen wollen.«

»Sie werden einer zweiten Behandlung unterzogen«, sagte Korman. »Sie kommen ein zweites Mal in die Mühle. Ihr Gehirn wird noch ein bißchen umgeschaufelt. Es sei denn, Sie schaffen es vorher, sich in diesem gottverdammten Loch umzubringen. Das wäre vielleicht besser. Ich sage Ihnen hier und jetzt, daß es besser wäre. Weil ich nicht weiß, wie die Chancen stehen, wenn ich Sie noch einmal durchlaufen lasse. Verstehen Sie mich jetzt? Was muß ich Ihnen noch sagen?« Er war herangetreten und schrie Parnell die letzten Worte ins Gesicht.

Parnell setzte sich auf das Bett, nicht betäubt, nur verwirrt, und Korman starrte ihn keuchend an.

»Was soll ich Ihnen noch sagen?« wiederholte Korman.

»Sie haben mir wohl alles gesagt«, meinte Parnell leise.

»Also gut.« Er ging hin und her und blieb vor Parnell stehen. »Ich werde versuchen, ihnen eine Idee zu verkaufen. Ich versuche zu erreichen, daß man Sie hier hinausläßt. In eine der Versuchszonen. Aber es wird nicht leicht sein, und es wird Zeit in Anspruch nehmen. Vielleicht viel Zeit. Vielleicht ein paar Monate oder noch länger. Und die ganze Zeit über müssen Sie ein Musterknabe sein. Sie müssen sich so benehmen, als sei der Raum hier ein Tempel. Wenn Sie es nicht tun, klappt es nicht.« Korman begann wieder auf und ab zu gehen. »Ich muß auf Sie zeigen und erklären, daß es einen Umschwung gegeben hat, daß Sie sich völlig gewandelt haben. Ich muß sagen, er ist bereit, mit dem zu leben, was er ist.« Er starrte Parnell an. »Und wenn wir gewinnen, Alex, dann wird es auch so sein müssen. Das ist das Ende der Suche nach dem Heiligen Grab. Das müssen Sie begreifen. Denn wenn man Sie gehen läßt, dann wird man Sie trotzdem beobachten wollen. Und man wird Sie nie mehr zurückkehren lassen.«

Parnell sah zu ihm auf. Er betrachtete seinen Arm, die gerötete Stelle, wo Korman die Nährflüssigkeit eingespritzt hatte.

»Sie hätten Schierling nehmen sollen.«

Korman lächelte schwach, aber er hatte keine Geduld mehr.

»Also?«

Parnell zuckte die Achseln.

»Ich versuche es, aber ich glaube nicht, daß es gehen wird.«

Korman nickte.

»Wenn wir uns auf Ihren Ruf allein verlassen müßten, wären wir erledigt. Ich muß sie also mit der Behandlung hinhalten. Ich halte sie hin, und schließlich werde ich sagen, daß ich es nicht machen kann.«

Parnell lächelte. »Sie stecken Ihren Hals in die Schlinge.«

»Das lassen Sie meine Sorge sein«, gab Korman zurück.

»Es ist vielleicht sinnlos«, meinte Parnell. »Sie könnten auch nein sagen.« Er schaute sich im Zimmer um, für einen Augenblick düster fasziniert. Dieser Raum und diese Zeit, die sich in die Unendlichkeit erstreckten.

Korman beobachtete ihn gequält.

»Dann haben wir es versucht«, sagte er.

Die Zeit verging schneller, als Parnell vermutet hatte. Korman machte es ihm leichter; er schickte Bücher. Und in der zweiten Woche kam ein Umschlag. Auf einem beigefügten Zettel stand: ›Wir scheinen nichts anderes mehr tun zu können, als gegen sämtliche Vorschriften zu verstoßen.‹

Es war ein Brief von Julia.

›Alex – ich habe bis jetzt gebraucht, um herauszufinden, wo du bist. Doktor Korman war sehr freundlich. Er sagt, es wird alles gut werden. Ich weiß nicht, was das alles zu bedeuten hat. Ich möchte nichts anderes als bei dir sein. Julia‹

Der Brief von Julia hatte eine unangenehme Nebenwirkung; er verlangsamte den Ablauf der Zeit in den Wochen danach. Die Minuten tropften dahin, sammelten sich qual-voll zu Stunden und Tagen. Aber Julia hielt ihn auch aufrecht. Sie war das Adrenalin, das aus der Zukunft mehr machte als die Alternative des kleinsten Übels.

Anne wartete in der 27. Etage in einem Lokal auf Korman. Sie war beim dritten Martini. Er hatte um 19.00 Uhr kommen wollen, jetzt war es 21.15 Uhr.

Eine Minute später erschien Korman. Er schüttelte bedrückt den Kopf, als wolle er jede Rüge abwehren.

»Ich bin von Steiner nicht weggekommen«, sagte er, riß den Folienbehälter auf und trank von seinem Martini. »Es hörte einfach nicht auf, Anne«, sagte er. »Sie kommen, und Steiner behandelt sie.«

»Du bist bei Hayley gewesen«, sagte Anne nach einer Pause.

Korman hob protestierend den Kopf, aber es wurde ihm zuviel, und er ließ ihn wieder sinken und trank.

»Sie haben dich abgewiesen«, sagte sie, halb resigniert, halb ungläubig.

Er hob die Schultern.

»Es hat eben nicht geklappt. Sie lassen ihn nicht aus dem Komplex.«

»Obwohl du ihnen erklärt hast, daß eine zweite Behandlung unmöglich ist?«

»Ich habe ihnen gesagt, daß ich vielleicht Jahre dazu brauche. Ich habe alle möglichen Lügen aufgetischt. Ich habe ihnen erzählt, die Rhesusaffen seien gestorben. Mein Gott«, sagte er, »alle die Affen, tot. Sie sind nicht leicht zu bekommen. Na ja. Was spielt das für eine Rolle. Schließlich haben sie doch abgelehnt. Eiskalt.«

»Du meinst General Laird.«

»Ja. Und Hayley stimmte zu. Es war immer Laird.«

»Glaubst du, Hayley wußte, was du getan hast?«

Korman lächelte schief.

»Er wußte es genau. Er weiß, was vorgeht, auch wenn er jetzt Verwaltungsmann ist. Er verfolgt die Experimente seit Monaten.«

»Gib mir den einen noch«, sagte Anne mit einer Handbewegung.

Korman schob ihr den zweiten Martini hin.

»Wie viele hast du schon getrunken?« fragte er.

»Ach was. Und was hat man entschieden?«

»Was glaubst du?« fragte Korman zynisch.

Anne wandte sich betroffen ab.

»O Gott«, flüsterte sie. »Hugh, das können sie nicht. Sie können ihn nicht in diesem Zustand lassen. Gefangen in einem Käfig. Für ewig. Das dürfen sie nicht.«

Korman beugte sich über den Tisch.

»Ich lasse ihn nicht in diesem Zustand«, zischte er. Er knallte den leeren Behälter auf den Tisch. »Die Experimente sind schiefgegangen? Nun gut, nächste Woche finde ich heraus, weshalb. Bis zum Ende des Monats kann ich ihn durchlaufen lassen. Laird hat keine andere Wahl. Wenn ich sage, die Möglichkeit besteht, muß er mitmachen.«

»Aber es steht doch noch immer fünfzig zu fünfzig, oder?«

Korman sah sie beinahe flehend an.

»Das ist alles, was wir haben, Anne. Ich bin nicht der liebe Gott.«

Sie berührte seine Hand.

»Ich weiß.« Nach einer langen Pause sagte sie: »Wieso ist das so wichtig geworden? Warum haben wir ihn so wichtig werden lassen?«

»Laß, Anne.«

»Ich kann nicht«, sagte sie erstickt. Ihre Augen füllten sich mit Tränen. »Ich bin angetrunken und kann jetzt nicht einfach abschalten. Alles ist so verrottet, Hugh. Alles. Sobald man etwas findet, für das man sich erwärmen könnte, wird es einem weggenommen. Warum konnten sie ihn nicht einfach gehen lassen?«

»Das geht nicht, Anne«, sagte er mit großer Überzeugung. »Sie können ihn nicht gehen lassen, Anne.«

Sie sah ihn entsetzt an.

»Sie haben es dir gesagt.«

»Ja.« Sie forschte in seinem Gesicht, und Korman sagte: »Ich wünschte, sie hätten es nicht getan, und damit Schluß.«

20

Parnell schreckte aus dem Schlaf hoch. Licht erfüllte das Zimmer, und Korman stand da, als wolle er sich nie mehr bewegen. Kormans Gesicht war verzerrt.

Parnell starrte ihn an.

»Alex —«

»Lassen Sie nur«, sagte Parnell.

»Ich habe es versucht. Es nützt nichts. Alex —« Er kam näher, gequält und zornig. »Hören Sie mir zu! Es wird alles gut! Sie haben eine ausgezeichnete Chance! Besser als fünfzig zu fünfzig! Ich schwöre bei Gott, daß sie besser sein wird!«

»Nein, Doc«, sagte Parnell. Sein Arm zuckte hoch, die Faust krachte bleiern in Kormans entsetztes Gesicht. Kormans Kopf klappte nach hinten, sein ganzer Körper wurde zurückgerissen, er prallte an die Wand und sackte in Parnells Arme.

Parnell trug ihn zum Feldbett und legte ihn vorsichtig hin. Er kramte in Kormans Taschen, fand seine Ausweisplakette, hob einen Arm hinauf, der herabgerutscht war.

»Tut mir leid, Doc«, flüsterte er und ging zur Tür.

Niemand war im Korridor zu sehen. Er lief zur Stationstür, öffnete sie mit Kormans Plakette und stand in einem runden Foyer. Auf der einen Seite schlief ein Angestellter an einem Schreibtisch. Drei Korridore gingen von der Vorhalle aus. Parnell schlich an dem Tisch vorbei und einen der Gänge entlang, bis er eine Kreuzung erreichte. Er lief schneller, auf eine Reihe von Aufzügen zu. Er stieg in eine Kabine, drückte den Knopf für die 25. Unteretage und war einen Augenblick später in der Rotunde in Adams. Dort stieß Parnell auf einen Aufseher, den er schon oft gesehen hatte.

»Auch ein Nachtwandler, wie ich sehe«, meinte der Aufseher mitfühlend.

Parnell machte eine Geste.

»Die Hypothek bedrückt mich«, sagte er. Der Aufseher lachte.

Die Rückkehr nach Adams war instinktiv erfolgt. Parnell kannte sich hier sehr gut aus. Hier konnte man die Medizinische Abteilung am gefahrlosesten verlassen. Als der Zeitpunkt aber gekommen war, als er an der Kreuzung zum

›ZZ‹-Korridor und den Tunnels ankam, wußte er, daß er Julias wegen nach Adams zurückgekehrt war. Er mußte sie sehen, obwohl er auch wußte, daß das eine unsinnige Entscheidung war. Seine lächerlich geringe Chance, zu entkommen, lag in der Schnelligkeit. Die Zeit war wieder ein Gegner geworden.

Beim erstenmal mußte er an Julias Zimmer vorbeigehen. Weibliche Aufseher waren selten, aber als er den Frauenbereich betrat, starrte ihn eine ältere Matrone mißbilligend an. Fraternisieren war nicht verboten, aber nach Mitternacht galten altmodische Grundsätze. Mit Moral hatte das nichts zu tun, sondern mit der Disziplin, die den Patienten ständig auferlegt war.

Parnell sah von einer Biegung aus zu, wie sich die Frau entfernte. Dann ging er langsam zurück und klopfte leise an Julias Tür. Zuerst rührte sich nichts. Vorne ging jemand vorbei, dann wurde es wieder still.

Die Tür glitt auf, Julia riß die Augen auf und preßte die Hand auf den Mund. Dann warf sie sich an ihn.

»Alex. Mein Gott. Alex.«

»Ich habe keine Zeit, Julia. Nicht einmal dafür. Ich muß hier weg.«

Sie schüttelte ungläubig den Kopf.

»Hinaus aus dem Komplex? Alex – das kannst du nicht.«

»Ich kann nicht mehr zurück, Julia. Es ist zu spät.«

»Aber du kommst nie hinaus. Begreifst du das nicht? Und selbst wenn – da ist doch nichts. Wohin könntest du gehen?«

»Was macht das aus, zum Teufel?«

Sie sah ihn entsetzt an.

»Es ist dir egal, was passiert. Du möchtest, daß sie dich umbringen.«

»Nein. Aber ich lasse mir nicht auf dem Operationstisch den Kopf spalten.«

Julia wirkte verwirrt.

»Nein! Alex – du verstehst nicht. Sie unterziehen dich nicht einer zweiten Behandlung. Sie schicken dich in eine Versuchszone. Alex, bitte, hör mir zu. Du wirfst das alles weg. Du mußt zurückgehen.«

»Sie schicken mich nirgends hin, Julia. Sie haben abgelehnt.«

Julia sah ihn fassungslos an.

»Sie haben es versprochen!« keuchte sie. »Sie haben es versprochen!«

Parnell sah sie seltsam an. Sie schien vor ihm zurückzuzucken. Er packte ihre Arme.

»Sie haben es dir versprochen?«

Sie schüttelte hilflos den Kopf.

Parnell starrte sie ungläubig an.

»O Gott, Julia.« Die Worte wurden ihm herausgerissen wie gesundes Fleisch.

Julia riß sich los, warf sich auf die Kommunikatortafel neben der Tür und drückte den Notschalter, der sich in jedem Raum befand. Ein rotes Licht flammte auf, und Julia fuhr herum, den Rücken an die Wand gepreßt, als wolle sie verteidigen, was sie getan hatte. Sie weinte.

»Ich rede mit ihnen! Ich lasse das nicht zu, Alex! Ich kann mit ihnen reden. Sie korrigieren sich. Sie schicken dich fort. Du wirst sehen!«

Er trat auf sie zu und schlug ihr ins Gesicht, packte sie bei den Schultern und schüttelte sie.

»Du Miststück. Du gemeines Miststück. Du gehörst zu ihnen. Du bist ein Teil davon.«

»Alex – du verstehst nicht. Ich liebe dich. Sie haben mir versprochen –«

Parnells Kopf zuckte hoch. Jemand kam den Korridor entlang gelaufen. Dann wurde ein Hauptschlüssel in das Elektronenschloß gesteckt. Parnell stieß Julia zur Seite. Die Tür ging auf, und ein Nachtaufseher stürmte herein. Ein breitschultriger Mann – wie die meisten; bei nächtlichen Krisen ging es meist um hysterische Anfälle, und man brauchte starke Hände. Parnell hatte eine der Frauen erwartet, und während des kurzen Zögerns konnte sich der Mann auf den Angriff einstellen, so daß der Faustschlag von seiner Schulter abglitt.

Er taumelte nach vorn und schlang dicke, muskulöse Arme um Parnell, aber Parnell riß das Knie hoch, und der Aufseher schrie auf. Seine Knie wackelten. Parnell packte seinen Kopf und rammte ihm das Knie ins Gesicht. Der Aufseher glitt zu Boden und blieb liegen. Parnell drehte sich um und schaltete die Alarmanlage aus.

Julia hatte sich nicht bewegt, aber während des Kampfes

war etwas in ihr vorgegangen. Sie weinte nicht mehr und schien einen Entschluß gefaßt zu haben.

»Ich gehe mit dir, Alex«, sagte sie.

Seine Brust hob und senkte sich; er starrte sie verächtlich an.

»Es ist aus, Julia. Dein Kredit ist verbraucht.«

»Allein hast du keine Chance«, sagte Julia. »Nichts ist so wie vorher, Alex. Ich bin nichts anderes als du, ich habe die Behandlung hinter mir. Ich habe alles durchgemacht. Ich bin deinetwegen in die Medizinische Abteilung zurückgeholt worden. Sie wollten jemanden in deiner Nähe haben, um zu erfahren, was du denkst. Aber ich habe nur mitgemacht, weil ich mußte. Ich sollte dich nicht lieben, aber ich tue es. Und ich gehe mit dir.«

Sie zog das graue Nachthemd aus und stand da, nackt und verletzbar, so als wolle sie ihn herausfordern, sie aufzuhalten in dieser Sekunde äußerster Hilflosigkeit.

Parnell starrte sie an, gebannt, unentschlossen. Sie drehte sich um und zog sich schnell an.

»Ich kann dir nicht vertrauen, Julia«, sagte er.

Sie wirbelte herum.

»Doch, du kannst«, sagte sie mit sonderbarer Bitterkeit. »Ich bin ihnen nichts mehr schuldig.«

Parnell zerriß ein Handtuch in Streifen und fesselte dem Aufseher Hände und Füße. Es war dumm gewesen, daß er es mit Korman nicht auch so gemacht hatte, aber er war dazu einfach nicht fähig gewesen.

Julia öffnete die Tür und schaute in den Korridor hinaus. Er war still und leer, und einen Augenblick danach rannten sie zu den Tunnels.

Als sie die Medizinische Abteilung hinter sich hatten, führte Julia ihn durch ein Labyrinth von Gängen zu einer Reihe riesiger Frachtaufzüge. Eine Minute später traf ein Aufzug mit Büromöbeln ein; er wurde von zwei Arbeitern begleitet, aber sie sahen nicht einmal auf, als Julia und Parnell zustiegen. Julia drückte den Knopf für die 16. Unteretage, und als der Lift hielt, nahm Parnell ein dumpfes Vibrieren wahr. Die Türen gingen auf, und das Geräusch wurde zu einem lauten Grollen und übertönte alles andere.

Als Parnell ausstieg, war er wie betäubt. Hinter einer

Glaswand erstreckten sich endlose Reihen von arbeitenden Maschinen.

»Eine Fabrik«, erklärte Julia. »Es gibt viele.«

Julia eilte mit ihm zu einem Personenaufzug. Einige Zeit danach waren sie auf Bodenhöhe.

»Wie kommen wir hinaus?« fragte Parnell und schaute sich um. Sie standen in einem großen Korridor. Er schien kein Ende zu nehmen, in beiden Richtungen nicht.

»Es ist noch weit«, sagte Julia. Sie sah besorgt in beide Richtungen. »Wir müssen es riskieren.«

Sie traten wieder in den Aufzug und fuhren zur 1. Unteretage zurück. Den Aufzügen gegenüber befand sich eine Reihe von Türen mit der Aufschrift ›Kapseln‹. Sie öffneten sich auf fotoelektrischen Kontakt, und als die beiden hindurchtraten, sah Parnell, daß sie sich einem Oberflächen-Einschienenbahnsystem näherten. Ständig fuhren geschoßförmige Wagen mit Plexiglaskuppeln in einer Station aus und ein.

Parnell begriff, was Julia gemeint hatte; trotz der Zeit – eine Uhr zeigte 02.22 an – stand ein Dutzend Personen auf dem Bahnsteig. Julia zerrte an seinem Arm und hielt ihn zurück. Eine Minute später war die Plattform vorübergehend leer. Sie trat vor und zog ihn wieder zurück; mehrere Kapseln trafen gleichzeitig aus verschiedenen Richtungen ein. Ein Verkehrscomputer verlangsamte sie, schleuste sie über ein Weichensystem zum Bahnsteig und schickte sie wieder hinaus.

Drei bewaffnete Militärpolizisten stiegen aus einem der Wagen und gingen zum Ausgang, aber sie schienen es nicht eilig zu haben, und Julia seufzte erleichtert.

»Wohin gehen wir?«

»Zum Depot«, sagte Julia. Sie war damit beschäftigt, nach allen Seiten zu sichern, und vergaß, daß ihm das nichts sagte.

Eine Kapsel schwang eben von dem Weichensystem herab zur Plattform. Sie trug die Nummer 5, und Julia winkte. Sie rannten hinüber und stiegen ein. Die Kapsel schwebte summend davon.

Sie beschleunigten schnell; eine Sekunde später kippten sie in einen grellbeleuchteten Schacht, und Parnell kam es so vor, als blicke er in einen Gewehrlauf. Sie rasten dahin, die

Köpfe auf gepolsterten Stützen. Die Kapsel heulte sirrend, dann wurde sie leiser und schlagartig verringerte sich die Geschwindigkeit, dann beschrieben sie einen weiten Bogen und hielten.

Es war eine belebtere Station, die trotz der Nachtzeit überfüllt war.

»Das Depot ist vierundzwanzig Stunden in Betrieb«, erklärte Julia. Sie schauten sich argwöhnisch um. »Ich sehe keine MP«, sagte sie, und sie gingen zum Ausgang.

Als sie im Korridor hinter der Station standen, sah Parnell durch riesige Lagerhauseingänge den Himmel. Er war klar und hell von Sternen, mit einem kalten, gleißenden Halbmond. Darunter eine weite, grellbeleuchtete Betonfläche, auf der es lebhaft zuging. Große Berge von Gütern wurden von Schwärmen dröhnender Laster und lautloser, schlangenartiger Züge aufgestapelt und wieder abgetragen.

Parnell ging auf den Ausgang und den freien Himmel zu, aber Julia hielt ihn zurück. Sie deutete den Korridor entlang.

»Da geht es schneller.«

Aber Sekunden später leuchtete in der Nähe eine rote Lampe auf, und kurz darauf blinkten überall Warnlichter.

Julia packte seinen Arm.

»Alex –«

»Ich weiß«, sagte er. »Gehen wir weiter.«

Zum erstenmal sah sie ihn zweifelnd an.

»Es ist sinnlos –«

»Das war es von Anfang an, Julia«, sagte er ungeduldig. »Wie kommen wir hinaus?«

Sie zögerte, dann deutete sie wieder den Korridor hinunter.

»Vielleicht – wenn wir dort durchkommen. Aber da werden sie jetzt auch aufpassen.«

»Hier erreichen wir jedenfalls gar nichts«, sagte er, und sie liefen weiter.

Trotz der blinkenden Lampen hielt sie niemand auf. An einer Stelle blockierte ihnen aber ein Elektrokarrenzug den Weg, als er eine enge Biegung durchfahren mußte. Eine Kiste rutschte hinunter. Parnell half dem Fahrer, sie wieder hinaufzuheben.

»Sehr freundlich«, sagte der Fahrer. Er sah sie an und

grinste. »Scheint wieder einer aus der Klapsmühle entsprungen zu sein«, meinte er heiter und fuhr davon.

»Ich hätte nicht gedacht, daß so viele von uns herumlaufen«, sagte Parnell betroffen.

»Tun sie auch nicht«, sagte Julia gepreßt. »Von der Medizinischen Abteilung läuft hier niemand herum. Ich bin sicher, daß das bisher noch nie jemand versucht hat. Er spricht von der Klinik. In der zweiten Tiefetage gibt es eine Nervenheilanstalt.«

»Schöne Gegend«, murmelte Parnell.

»Du wirst die Plakette brauchen«, sagte Julia und wies auf eine doppelt breite Metalltür.

Er zog Kormans Plakette aus der Tasche.

»Bist du sicher, daß sie genügt?«

Julia nickte und deutete auf ihre eigene Plakette.

»Beide sind Status Eins. Sie bringen uns weiter – aber das ist nicht das Problem –«

»Beeil dich«, warnte er. Ein MP-Wagen mit blinkendem Rotlicht fegte auf sie zu. Parnell trieb Julia an, und sie schob die Plakette in den Schlitz. Die Tür öffnete sich.

Parnell schaute sich um; der Wagen fuhr auf ihn zu, mit irr pulsierender Lampe. Er schob die Plakette hinein, aber nichts rührte sich. Statt dessen blinkte die Aufforderung: ›Fehlversuch‹. Inzwischen bremste das Fahrzeug mit kreischenden Reifen. Parnell zog die Plakette heraus und sah, daß er sie verkehrt hineingesteckt hatte. Der Wagen bog hinter ihm um die Ecke. Es war zu spät.

Aber dann brauste er an ihm vorbei, fort von der Kreuzung, wurde schneller. Parnell schob die Plakette wieder hinein und trat durch die schmale Öffnung. Am Ende eines kurzen Tunnels wartete Julia angstvoll auf ihn, und als er auftauchte, schloß sie erleichtert die Augen.

Er blickte an ihr vorbei und wurde sich plötzlich der Umgebung bewußt. Sie hatten den Komplex verlassen und die riesige Betonwüste eines Heliports betreten. Lichtkonzentrationen sammelten sich in allen Richtungen über Hubschrauberboxen. Vor ihnen standen gigantische Transportmaschinen, jede ein Lichtsee, um den Dutzende von Lastwagen Fracht auf- und abluden.

Auf der linken Seite, einem dunkleren, stilleren Bereich, standen Dutzende von kleinen Hubschraubern, abgestellt in

Lichterketten, die in den Boden eingelassen waren. Die Fassade des Komplexes, eine riesige Bastion, strebte hinter ihnen in den Nachthimmel empor. Julia deutete auf einen breiten Streifen beleuchteter Fenster im Gebäude.

»Das ist der Kontrollturm«, sagte sie.

Parnell begriff jetzt, aber es ergab keinen Sinn. Er sah sie unsicher an, und Julia drängte ihn vorwärts. Sie liefen an einem Eingang des Kontrollturms vorbei, gerieten ins Licht und wurden von zwei Militärpolizisten entdeckt, die eben aus einem Aufzug traten. Parnell konnte sehen, wie es passierte, wie sich ihre Augen argwöhnisch verengten.

Er packte Julias Arm und riß sie zurück.

»Hier!« sagte er, schob sie vor sich her und zwängte sich mit ihr in eine Feuerlöschnische neben dem Eingang. Die Militärpolizisten stürmten aus dem Gebäude, blieben stehen, schauten sich um, begannen zu laufen, kaum zwei Meter von den geduckten Gestalten in der Nische entfernt.

Eine Sekunde danach sprangen Parnell und Julia hoch und liefen am Eingang des Kontrollturms vorbei, am Gebäude entlang. Endlich blieb Julia keuchend stehen und deutete auf die schlanke Silhouette eines Hubschraubers in der Nähe.

»Der da«, sagte sie. Beide entdeckten gleichzeitig einen Wachtposten am Ende der langen Reihe von Hubschraubern.

Julias Gesicht war entspannt und zu einer grimmigen Maske verzerrt. Parnell mußte trotz der nervlichen Belastung lächeln. Ihre Zweifel schienen wie weggeblasen zu sein. Sie war wieder ganz Energie. Er nahm ihre Hand in die seine, und sie begannen über die Betonfläche zu dem Hubschrauber zu laufen, duckten sich in die Schatten.

Parnell fuhr angstvoll herum. Der Wachtposten hatte sie jedoch nicht bemerkt: er starrte noch immer zu den Transportern hinüber. Julia öffnete die Einstiegsluke und kletterte in das Cockpit. Parnell schaute sich ein letztes Mal um, packte eine Sprosse und zog sich in das Innere des Fluggeräts.

Julia hatte sich auf dem rechten Sitz niedergelassen; Parnell zwängte sich an ihr vorbei und sank in den Sitz daneben. Sie legte den Sicherheitsgurt an. Parnell sah ihr zu und machte es ihr nach.

Julia drehte sich herum und schaute durch die Plexiglaskuppel hinaus.

»Er hat uns nicht gesehen.«

»Und der Turm?« fragte Parnell.

»Ich glaube, wir schaffen es.«

Parnell betrachtete das verwirrende Durcheinander von Instrumenten und Hebeln vor sich. Auf einmal erfüllte ihn eine seltsame Empfindung. Aus dem Augenwinkel nahm er wahr, daß Julia sich nicht bewegt hatte. Sie sah zu ihm hinüber und wartete.

»Ich weiß nicht wie, Alex«, sagte sie. »Du mußt uns hier hinausbringen.«

Er starrte sie entgeistert an.

»Du bist verrückt.«

»Du weißt, wie man die Maschine fliegt«, sagte sie.

In Parnells Gehirn wirbelte alles durcheinander. Er starrte die Instrumententafel hilflos an; sie kam ihm wie eine höhnische Abstraktion vor. Nichts paßte; nichts ergab einen Sinn.

Julia berührte seine Schulter.

»Er kommt –«

Parnell blickte an ihr vorbei. Der Wachtposten schlenderte lässig auf sie zu. Er blieb stehen, nahm den Karabiner auf die andere Seite, ging weiter.

Parnell wandte sich wieder den Instrumenten zu; zu seiner Verwunderung lagen die Finger seiner rechten Hand auf einem Schalter. Er drehte ihn, und der Hubschrauber begann zu heulen. Die Schleusen der Erinnerung öffneten sich; seine Bewegungen wurden geschickt und sicher.

Der erstaunte Posten lief jetzt auf sie zu und winkte verzweifelt. Er schrie in das Funkgerät an seiner Schulter, gleichzeitig versuchte er, den Karabiner herunterzureißen und anzulegen.

Parnell schob den Gashebel nach vorn und zog den Steuerknüppel an. Der Hubschrauber schoß in die Höhe. In derselben Sekunde fegte ein greller Lichtstrahl vom Kontrollturm hinaus und erfaßte das Fluggerät. Er blendete Parnell; eine Sekunde lang zögerte seine Hand. Er warf den Arm hoch, um die Augen zu schützen, brachte den Hubschrauber ins Gleichgewicht und sandte ihn in weitem Bogen auf die Fassade des Komplexes zu.

Julias Augen weiteten sich entsetzt; sie befanden sich auf

Kollisionskurs mit dem Gebäude, hoch über dem Kontrollturm, aber nahezu parallel mit der Batterie von Suchscheinwerfern, von denen einer sie hartnäckig verfolgte.

In der letzten Sekunde berührte Parnell die Steuerung; der Hubschrauber schwankte, schien zu taumeln, und sie waren nur Zentimeter vom riesigen Block der Komplexfassade entfernt, als die Aufstiegsdüsen die Zentrifugalkraft überwanden und sie senkrecht nach oben trieben.

Die Suchscheinwerfer konnten diesem Manöver nicht folgen, und die Maschine flog über das Dach hinweg, so nah dem Fahnenmast und der riesigen Flagge, daß die Stoffalten vom Wind erfaßt wurden und zu knattern begannen, als wollten sie sich losreißen.

Parnell ging auf Horizontalflug über, und der weiße Schimmer des Depots und des Heliports verschwanden hinter dem Komplex. Bald war die winzige Lichtinsel auf dem Komplex fast unsichtbar, und dann verblaßten auch der Lichtkreis und der Schuttwall rings um das Gebäude. Er stieß mit der Maschine nach unten und zog den Knüppel wieder an sich; dann gab er Vollgas, und der Hubschrauber heulte über die flache Erdoberfläche dahin.

Er zielte mit dem Daumen nach hinten.

»Kommt etwas?« Es war das erste Wort, das sie seit geraumer Zeit gesprochen hatten. Julia schaute nach hinten. Zuerst sah sie nichts, dann tauchten am Horizont zwei Lichter auf.

»Zwei«, sagte sie. »Ich glaube, sie gehen höher.«

Parnell nickte.

»Das hatte ich gehofft. Vielleicht können wir etwas Distanz gewinnen, bevor sie uns im Radarvisier haben.«

Mit instinktiver Sicherheit schaltete er ein Radargerät ein, ortete die beiden Lichtpunkte ihrer Verfolger und drückte einen Computerknopf. Auf einem Digitalrechner liefen Zahlen ab und kamen zum Stillstand. Parnell warf einen Blick darauf und nickte.

»Sie orten uns gerade. Aber der Steigflug hat sie viel gekostet.«

»Können sie uns einholen?«

»Ich glaube nicht. Sie haben auch RD elf, aber wir sind weit voraus. Und eine schnellere Maschine gibt es nicht.« Er beobachtete die Instrumente und nahm etwas Gas weg. Mehr zu sich selbst sagte er: »Wir brauchen keinen Maximalschub mehr, das kostet zuviel.« Seine Reaktionen waren so automatisch wie die des Computers; sein technisches Wissen war einfach vorhanden.

Julia starrte auf den Radarschirm. Die verfolgenden Lichtpunkte hielten noch den gleichen Abstand und vermochten nicht aufzuholen, was auch der Abstandmesser des Computers bestätigte. Die Zahlen schwankten stets nur um einige hundert Meter.

Der Mond war hinter einem Wolkenschleier verschwunden, das schrille Heulen der Turbinen blieb zurück, als sie über das schwarze Land dahinfegten. Die Landschaft verwandelte sich, begann sich zu senken und zu heben, und Parnell stieg einige hundert Meter höher.

Julia zeigte aufgeregt auf den Radarschirm.

»Alex – schau!«

Die Lichtpunkte hinter ihnen kehrten um.

Korman verfolgte das Manöver auf dem riesigen Radarprojektionsschirm mit verwirrter Miene. Hinter ihm, auf einer etwas erhöhten Kommandoplattform, stand General Laird. Sein Blick pendelte zwischen Projektionsschirm, Computern und Monitorschirmen hin und her. Eine Anzahl von Technikern und Offizieren war im Kommandoraum verteilt, und Laird unterhielt sich mit einem von ihnen, ohne Kormans fragenden Blick zu beachten.

Hayley stand etwas abseits. Er wartete, bis die beiden Verfolgermaschinen abgedreht hatten, dann stieg er auf die Plattform und sprach mit Laird.

Korman berührte vorsichtig sein schmerzendes Gesicht. Die spektakuläre Flucht Parnells hatte ihm die kaum verborgene Verachtung der beiden Männer eingetragen. Trotzdem stieg er zu ihnen hinauf.

»Was geht hier vor?« fragte er Laird. »Weshalb kommen die Maschinen zurück?«

»Sie sind zurückgerufen worden«, sagte Laird, ohne Korman anzusehen. Er zögerte einen Augenblick. »Wir können sie nicht mehr einholen.«

»Was ist mit den Stützpunkten in den Versuchszonen? Schicken Sie andere Flugzeuge hinauf?«

»Nein. Das wäre Zeitverschwendung.«

»Wieso? Ich verstehe das nicht, General.«

Laird sah ihn verächtlich an.

»Es ist ganz klar, daß sie uns ignorieren, Doktor. Sie werden auf Signale nicht reagieren. Was schlagen Sie vor? Daß wir sie abschießen?«

»Sie auf irgendeine Weise zur Landung zwingen«, sagte Korman mit wachsender Besorgnis. »Sie haben keine Chance, außer, man zwingt sie in einer Versuchszone zur Landung.«

Laird zögerte zu lange.

»Ich wüßte nicht, wie wir das anstellen sollten«, sagte er.

Kormans Augen verengten sich.

»Sie meinen, Sie wollen nicht«, sagte er.

Hayley starrte ihn an.

»Doktor, Sie gehen zu weit.«

Laird schien froh zu sein, daß er offen reden konnte.

»Habe ich recht?« fragte Korman zornig.

»Ja, Sie haben recht, Doktor.«

»Dann schicken Sie sie also bewußt in den Tod«, fuhr ihn Korman an. »Ist das auch richtig?«

»Wir wollen etwas klarstellen, Korman«, sagte Laird. »Ich bin nicht aus dem Komplex geflohen, und ich habe diese Maschine nicht gestohlen. Was jetzt passiert, hängt von Parnell ab.«

»Der springende Punkt ist aber, daß alles nach Wunsch läuft, nicht wahr?« fauchte Korman. »Dreiundneunzig Prozent des Landes sind eine radioaktive Gaskammer. Sie werden beide sterben, falls Sie Parnell nicht zwingen, in einer Versuchszone zu landen. Von sich aus wird er es nie tun.«

Laird zuckte beinahe mitfühlend die Achseln.

»Offen gesagt, ich gebe Ihnen recht, Doktor. Ich glaube, er zieht eine radioaktive Zone vor, bevor er sich wieder einfangen läßt.« Er machte eine Pause. »Und ich meine, das ist besser so.«

»Sie Dreckskerl«, sagte Korman.

Laird schoß das Blut ins Gesicht, aber seine Stimme blieb ruhig.

»Sie sind ein Menschenfreund, Korman, aber Sie denken nicht praktisch. Er könnte allen schaden. In ihm ist ein Wissen aufgestaut, das, milde ausgedrückt, dem nationalen Interesse widerspricht.«

»Er kann kontrolliert werden! Das heißt nicht, daß Sie ihn vernichten müssen!«

Nach einer langen Pause sagte Laird: »Ich habe meine Pflicht. Sie können sich den Luxus leisten, persönliche Dinge in den Vordergrund zu stellen. Das Glück scheint auf meiner Seite zu sein, Doktor.«

Trotz seiner aufgewühlten Gefühle vermutete Korman plötzlich, daß Laird die Worte nicht einfach mechanisch von sich gab. Alle sitzen in der Falle, dachte er. Alle. Aber Laird hatte sich das Schicksal als Helfershelfer ausgesucht.

»Ich bitte um Erlaubnis, Kontakt mit ihnen aufnehmen zu dürfen«, sagte Korman.

Laird sah ihn interessiert an.

»Es dürfte Ihnen klar sein, daß Sie Ihre Zeit verschwenden«, sagte er, aber es war keine Ablehnung. »Er wird nicht reagieren.«

»Nein, wohl kaum«, gab Korman zu. »Aber wenn er es doch tut, kann ich ihn vielleicht dazu überreden, in einer Versuchszone zu landen. Das ist alles, was mir noch bleibt, General.«

»Also gut«, sagte Laird. Er winkte einem jungen Offizier. »Leutnant, begleiten Sie Doktor Korman zur Funkzentrale. Er wird versuchen, Kontakt mit der gestohlenen Maschine aufzunehmen.«

Laird fügte nicht hinzu, daß die Entscheidung, die er schon getroffen hatte, Kormans Anstrengungen sinnlos machte; er verließ sich nicht allein auf das Schicksal.

Korman und der junge Leutnant verließen den Kommandoraum, und nach einer Minute sagte Laird: »Ein bemerkenswerter Mann, Ihr Doktor Korman.«

»Ja«, sagte Hayley.

»Ein Kämpfer. Aber er zermartert sich für nichts.«

»Er kann nicht anders«, meinte Hayley. »Parnell bedeutet ihm sehr viel.«

Laird sah ihn an.

»Warum?«

»Er identifiziert sich mit ihm«, sagte Hayley. »Er kann einfach nicht anders.« Laird verstand ihn nicht. »Ich dachte, Sie wüßten das«, fuhr Hayley fort. »Korman war in der ersten Gruppe, die ich der Behandlung unterzogen habe.«

Sie rasten über die Schattenkonturen des Landes hinweg, in das dunkle Unbekannte der Nacht. Eine Decke schwerer Wolken verhüllte den Himmel, und die Sterne waren verschwunden.

Parnell blickte zu Julia hinüber, und in diesem Augenblick sprang ein Funke zwischen ihnen über, eine Ekstase jenseits des Triumphs. Die Dinge vor ihnen waren so fern wie die verborgenen Sterne. In diesem Augenblick waren sie frei.

21

Als der Radarschirm leer war, erzählte ihm Julia von der Radioaktivität. Parnell schaute auf die dunkle Landschaft des Todes hinaus. Es war ein Pyrrhussieg gewesen. Aber auf irgendeine Weise hatte er damit gerechnet.

»Sie werden in den Versuchszonen auf uns warten«, sagte Julia. Ihre Stimme klang resigniert.

»Ich weiß«, sagte Parnell.

Sie sah ihn an.

»Es spielt keine Rolle, Alex.«

Er preßte die Lippen zusammen.

»Wir sind noch nicht tot, Julia. Ich sage es dir, wenn es soweit ist.«

Er griff in die Kartentasche und knipste eine Lampe an. Dicke, rote Linien durchschnitten das Land, bis hinauf nach Kanada und hinunter nach Mexiko. Auf der Karte verstreut waren achtundzwanzig oder dreißig grüne Inseln – die Versuchszonen, armselig kleine Enklaven in der riesigen Weite des Landes. In jeder Versuchszone befand sich ein winziges Viereck. Er deutete darauf.

»Was ist das?«

»Das sind die Siedlungen, die neuen Städte, die gebaut werden.«

»Und die Umgebung?«

»Entseuchtes Farmland«, sagte Julia. »Es gibt noch nicht viel davon.«

»Es gibt von allem nicht viel«, meinte Parnell. Die roten Diagonallinien, die radioaktiven Gebiete, waren überall.

Amerika, du schönes Land. Von Meer zu schimmerndem Meer, dachte er.

Dann fiel ihm das Geflecht von Linien auf, mit denen die Versuchszonen verbunden waren.

»Und die hier?«

»Ungefährliche Korridore«, erklärte Julia. »Entseucht.«

»Straßen?«

»Meistens. Fast alle Korridore sind auf den alten Autobahnen geschaffen worden.«

Sein Blick fiel auf Versuchszone 11. Sie lag fast genau vor ihnen, vielleicht 250 Kilometer entfernt. Er drehte nach Süden ab und beobachtete den Radarschirm. Er registrierte eine Anzahl von Flugzeugen in der Umgebung der Versuchszone, aber keines versuchte ihnen den Weg abzuschneiden.

Als sie an der Zone vorbei waren, sagte Parnell: »Sie geben sich keine Mühe.«

Julia hob die Schultern.

»Weshalb auch? Sie wissen, daß wir früher oder später landen müssen, und sie haben uns so oder so.«

Parnell starrte wieder auf die Karte.

»Vielleicht auch nicht«, meinte er nach einer Pause. »Nicht, wenn wir früher landen als erwartet.«

»Ich verstehe nicht, Alex.«

Er hatte eine Idee, aber keine Zeit, sie ihr zu erklären. Er deutete auf den Frachtraum. Er war über eine Falltür hinter den Sitzen zu erreichen.

»Stell mal fest, was wir da haben.«

Julia zwängte sich an ihm vorbei. Parnell ergriff plötzlich ihren Arm und hielt sie fest.

»Julia – woher hast du gewußt, daß ich diese Maschine fliegen konnte?«

Julia zögerte.

»Ich habe gehört, wie jemand davon sprach. Das war gleich am Anfang, als ich geholt wurde. Sie sprachen über alle möglichen Fälle, und jemand sagte, wenn du je den Komplex verlassen könntest, würdest du versuchen, zum Heliport zu gelangen, weil du ausgebildeter Pilot bist.«

»Ausgebildet? In welcher Beziehung?« fragte er ungeduldig. »Militärpilot, meinst du?«

»Ich weiß es nicht«, sagte Julia hilflos.

Sie verschwand im Frachtraum, und Parnell starrte vor

sich hin. Wieder eine Sackgasse auf dem Weg in die Zukunft. Dabei war er in den Archiven schon fast bis zum Kern des Rätsels vorgestoßen. Nun lag es für immer im Komplex begraben, in den er nie zurückkehren konnte.

Ein Rufsignal blinkte. Er beachtete es nicht und blickte wieder auf den Radarschirm. Weit hinter ihnen im äußersten östlichen Quadranten kreuzte eine schwere Transportmaschine das Gitter und verschwand. Der Schirm war wieder leer.

Parnell tippte Treibstoffanfragen in den Computer und schaltete den Autopiloten ein. Wieder blickte er auf die Karte. Versuchszone 26, bei weitem die größte im Land, war ein kürbisförmiger Bereich, der den größten Teil des ehemaligen Glacier-Nationalparks in Montana umfaßte. Es war auch die Versuchszone, die von allen anderen am weitesten entfernt war, und Parnell stellte fest, daß nur zwei Sicherheitskorridore zu ihr führten, einer von der Versuchszone 27, etwa 650 Kilometer westlich, der andere von der Versuchszone 23, ungefähr 1600 Kilometer südlich.

Julia schob sich aus dem Frachtraum hinauf und klappte die Falltür zu. Sie hatte ein Lebensmittelpaket mitgebracht und zeigte es ihm in leisem Triumph.

»Wir haben eines über.«

»Sind die Rettungsausrüstungen da?«

»Ja. Und Fliegeranzüge.«

»Gut. Die sind abgedichtet. Wir können alles brauchen.«

»Wozu?« fragte sie unsicher.

»Wir verlassen die Maschine.«

Julias Augen weiteten sich.

»Aber was soll das nützen? Es ändert gar nichts, Alex.«

»Vielleicht doch. Sie verfolgen die Maschine, nicht uns. Wir haben Treibstoff für sechseinhalb Stunden.« Er überprüfte eine Computermessung. »Wir steigen in genau vier Stunden, siebzehn Minuten und vierunddreißig Sekunden aus.«

»Aber wo?«

Parnell zeigte ihr die Karte.

»Hier. Über neunzehn.«

Julia betrachtete zweifelnd die Karte, dann zog sie eine Cellophanhülle darüber. Sie markierte Bundesstaatsgrenzen und bezeichnete Städte; viele waren unberührt von den Explosionen, aber alle ohne Leben, hohle, radioaktive Schalen, Friedhöfe. Denver, gleich nördlich der Versuchszone 19, gehörte nicht dazu; es war plattgewalzt worden.

Parnell beschrieb eine weite Kurve südlich von 19.

»Ich habe einen Kurs einprogrammiert, der unsere Maschine über unsere Absprungstelle führt und dann genau südlich lenkt.« Er tippte auf ein Wüstengebiet in Nevada. »Hier irgendwo wird sie abstürzen. Eine Strahlungszone. Wenn wir Glück haben und beim Absprung nicht entdeckt werden, gehen sie davon aus, daß wir mit der Maschine abgestürzt sind.«

Julia betrachtete die Versuchszone 19 noch einmal. Sie wirkte winzig auf der Karte, und Parnell nickte, bevor sie etwas einwenden konnte.

»Sie ist klein«, gab er zu. »Ich schätze, etwa sechzehn Kilometer lang und fünfeinhalb breit. Der Maßstab ist nicht genau. Die Siedlung befindet sich mehr nördlich, so daß wir hier abspringen, beim Südende. Wir landen im Dunkeln, kurz vor Sonnenaufgang, und das ist gut – aber es heißt auch, daß wir genau zielen müssen. Wenn wir abkommen, landen wir in der Strahlung.«

»Alex – es wird sogar schwerer sein, als du dir vorstellst«, sagte Julia. »Abspringen, ohne gesehen zu werden.«

»Wieso?« fragte Parnell ungeduldig.

»Die Versuchszonen sind überfüllt. Da gibt es viele Menschen – nicht nur in den Siedlungen, sondern innerhalb der ganzen Zone.«

»Menschen?« sagte Parnell erstaunt.

»Das ist alles relativ, Alex«, sagte sie mit schiefem Lächeln. »Der Krieg hat fast alle umgebracht. Aber nicht ganz. Ein paar Millionen blieben übrig. Die meisten davon sind Nomaden – Zigeuner. So nennt man sie. Und sie sammeln sich in den Versuchszonen, weil nicht viele andere Möglichkeiten vorhanden sind. Sie ziehen zwischen den Zonen umher und suchen etwas Besseres. Mehr Nahrung, etwas Dauerhafteres. Aber es gibt nichts.«

»Und die neuen Städte?«

»Es gibt keine. Die meisten Komplexe sind noch nicht einmal fertig. Fast alle befinden sich im Bau, aber nichts reicht aus – weder das Material noch die Geräte noch die Nahrung.«

Es fiel Parnell schwer, das zu erfassen. Kormans Worte schienen mehr versprochen zu haben. Erst jetzt begriff er, wie hohl sie geklungen hatten. Korman, der ihn nicht hatte schockieren wollen, war auf die Lüge ausgewichen. Parnell hatte angenommen, daß die Herzen der Versuchszonen ungeheure, gutgeölte Maschinen sein würden, Füllhörner des Überflusses, vergleichbar mit Komplex Eins, symbolische Giganten des wiedererstehenden Amerika. Erst jetzt wurde ihm klar, daß es keine Nation mehr gab, nur Inseln, Vorposten, die verzweifelt um das Überleben kämpften.

»Hm. Wenigstens haben sie einen errichtet«, sagte er bitter.

»Ja. Weil alles schon unter der Erde gelagert war. Alles Material, zusammen mit all den Dingen, die du gesehen hast – die Flugzeuge, die Laster, alle Geräte.«

Er grinste schief.

»Man kann nicht behaupten, daß sie nicht Voraussicht bewiesen hätten, wie?«

»Es ist ein böser Kreis, der sich schließt«, meinte Julia. »Es gibt keine Rohstoffe, weil alles zerstrahlt ist. Und bis die Strahlung abebbt, kann es nicht besser werden.«

»Wie lange wird das noch dauern?«

»Noch zwei bis drei Jahre. In den Bergen bessert es sich schon.«

Julia war eingeschlafen, Sie hatten den Komplex nun schon fast vor vier Stunden verlassen. Parnell rieb sich die Augen und starrte auf die Instrumente. Die Maschine lag genau auf Kurs. Der Radarschirm war leer; seit sie die Versuchszone 11 hinter sich hatten, war nichts mehr aufgetaucht. Er drückte den Knopf für eine Radar-Topographie-Überprüfung. Das Gitter schmolz zu einer horizontalen Linie mit einer vertikalen Säule von kalibrierten Meßergebnissen. Die Landschaft vor ihnen war eben und würde es geraume Zeit bleiben. Sie überquerten die großen Ebenen.

Das Funkrufsignal blinkte erneut. Schon seit Stunden versuchte man, Kontakt mit ihm aufzunehmen.

Ein verblassender Mond befreite sich aus seiner hauchdünnen Wolkendecke und spiegelte sich auf der Silberhaut der Maschine. Ein Punkt, etwas, was nicht ganz zu dem nackten Horizont paßte, erweckte Parnells Aufmerksamkeit. Er schaltete auf Handsteuerung und lenkte die Maschine darauf zu. Der Punkt hatte eine seltsam symmetrische Form angenommen, etwas, was sich aus dem Land erhob.

Parnell schaltete die Scheinwerfer ein. Sie stachen in flaches, wildes Grasland, das durch Radioaktivität seltsam rostfarben und weiß getönt war. Der Wildwuchs verschwand bald und machte aschfarbener Erde Platz und dann den Überresten einer großen Stadt. Die Suchscheinwerfer schnitten einen grellen Pfad über endlose Schutthalden.

Das Ding war jetzt deutlich zu erkennen, nur einige Kilometer voraus. Es sah aus wie eine riesige, gezackte Pfeilspitze, die in den Himmel ragte. Dann hoben die Scheinwerfer es ins Licht – das Gerippe eines Wolkenkratzers. Durch eine irre Laune des Schicksals war er teilweise unzerstört geblieben, während ringsum alles zu Staub zermahlen worden war.

Im Osten zeigte sich ein Lichtschimmer, eine Spur der Dämmerung. Parnell rüttelte Julia sanft wach. Ihre Augen weiteten sich überrascht; es dauerte einen Augenblick, bis sie sich zurechtfand.

»Wo sind wir, Alex?«

Er deutete nach vorn. Die Nacht hellte sich auf, und die Berge begannen sich als Silhouetten vor dem Himmel abzuzeichnen.

»Einundzwanzig Minuten«, sagte er. »Fangen wir an.«

Julia brachte die Ausrüstung herauf, und sie zogen sich nacheinander an. Es war eng im Cockpit, und sie brauchte länger, als Parnell erwartet hatte. Bis sie die Fallschirme angeschnallt und die Rettungsausrüstung befestigt hatten, zeigte der Computer noch elf Minuten bis zum Zielpunkt an.

Es war noch immer dunkelgrau vor ihnen, aber der Himmel hinter ihnen wurde hell. Der Radarschirm zeigte Leben; zwei RD-11-Maschinen tauchten am oberen Schirmrand auf, eben im Heliport von VZ 19 gestartet. Einen atemlosen Augenblick lang schienen sie auf Abfangkurs zu sein, aber sie schwenkten plötzlich ab und flogen nach Norden.

Weit, weit voraus entdeckte Parnell ein Lichtpünktchen. Sie flogen genau nach Plan. Er überprüfte das Computerprogramm für den Flug nach ihrem Absprung noch einmal und sah Julia mit schwachem Lächeln an.

»Fertig?«

Julia zitterte.

»Ich weiß nicht recht.«

Hinter ihnen zogen sich rote und goldene Streifen über den Himmel. Unten lag Morgennebel, aber die Versuchszone 19 kam in Sicht, die Lichter des Flugplatzes waren deutlich zu sehen. Die Dämmerung kroch nun auch ins Cockpit, und im gedämpften Licht wirkten sie beide wie Gespenster.

»Zwei Minuten«, sagte Parnell.

»Alex«, sagte Julia plötzlich ängstlich. »Ich weiß nicht, wie man den Fallschirm öffnet.«

»Du brauchst gar nichts zu tun«, sagte er ruhig. »Er öffnet sich automatisch.«

Er schaute wieder hinaus. VZ 19 zeichnete sich klar ab. Ein Fluß bildete einen Teil der Begrenzung, die im übrigen ein Gürtel versengter Erde darstellte. Die Erde war aufgepflügt worden, um eine neutrale Zone zu schaffen, den Fluß entlang. Parnell entdeckte überrascht, daß das ganze Land rings um die Versuchszone bewaldet war. Anscheinend hatte die Strahlung die genetische Struktur des Baum- und Pflanzenlebens hier nicht zerstört; vielleicht der Höhenlage wegen, wo die Auswirkungen der Strahlung weniger Einfluß auf zähe Gebirgspflanzen hatten, oder vielleicht, weil das Gebiet am Fuß einer schützenden Bergkette lag. Auf jeden Fall leistete die Natur Widerstand, wo der Mensch es nicht mehr konnte.

Jetzt blieb nichts mehr übrig, als zu hoffen, daß der Computer seine Arbeit tun würde. Und zu beten, daß sie im Zielgebiet landeten. Ein Summer ertönte, und Parnell zählte im stillen beim Countdown mit. Das Kabinendach schob sich zurück, und bei Null explodierten die Sprengbolzen, und sie wurden aus der Maschine hinauskatapultiert.

22

Der Computer lenkte die Maschine beinahe augenblicklich in einen 90-Grad-Turn nach Süden, und sie begann parallel zu den Bergen steil emporzusteigen. Parnell sah, wie sich Julias Fallschirm öffnete, gleichzeitig hörte er den Knall seines eigenen Hilfsschirms, und es schien ihn nach oben zu reißen, als das Rauschen der eisigen Luft um ihn zu sanftem Wehen wurde. Es war beim Sinkflug in das Tal viel dunkler. Ein Vorteil, dachte er – wenn man sie nicht schon entdeckt hatte.

Und dann geschah etwas Erstaunliches. Zwei RD-11 fegten hoch oben hinter der verlassenen Maschine her. Sie holten rasch auf. Alle drei Maschinen überflogen die Bergkette, und eine Sekunde später wurde die pilotenlose Maschine von vernichtendem Raketenfeuer zerfetzt. Sie explodierte zu einem gigantischen Feuerball, der wie eine niederstürzende Sonne hinter den ersten Gipfeln hinunterfiel.

Es blieb keine Zeit mehr für Überraschungen. Parnell schaute nach unten und sah, daß er auf dünnbewaldetes Gelände hinabsank, vorbei an den Baumwipfeln den dunklen Schatten der Erde entgegen. Er zog die Knie an und prallte auf schwammigen, regenfeuchten Boden. Das dämpfte den harten Aufprall; Parnell überschlug sich einmal, dann landete er weich auf dem Rücken. Der graue Himmel drehte sich kurz, wurde stabil, und in der Ferne rauschte Wasser.

Parnell drückte auf den Auslöseknopf, und der Gurt löste sich. Hastig sammelte er die Bahnen ein und zerrte den Fallschirm zu einer Baumgruppe. Dann öffnete er den Rettungskasten, fand ein Messer und steckte es ein, als er auf das Geräusch wirbelnden Wassers, den rauschenden Fluß irgendwo zwischen den Bäumen zuging.

Durch die Landung hatte er die Orientierung verloren, und er wußte nicht genau, auf welcher Seite des Flusses er heruntergekommen war; erst als er zwischen den Bäumen hindurch das Flußufer erreichte, kannte er sich aus: Die Berge lagen dahinter, ihre Gipfel schimmerten von der aufgehenden Sonne rot und golden. Auf der anderen Seite des schnellströmenden Flusses drohte die unschuldig grüne Landschaft, die zu den bewaldeten Hängen führte, mit radioaktivem Tod.

Er drehte sich um. Eine Sorge war ihm genommen, weil er wußte, daß Julia beim Absprung etwas nördlich und östlich von ihm gewesen war, weit innerhalb der Zone. Er rannte zwischen den Bäumen dahin und entdeckte sie einige Minuten später. Ihre Beine waren eingeknickt, aber ihr Körper hielt sich schlaff aufrecht; der Fallschirm hing in den Ästen darüber. Sie war betäubt, halb bewußtlos; aus einer Platzwunde über einem Auge rann Blut.

Parnell befreite sie hastig, legte sie auf den Boden, und ihr Blick richtete sich endlich auf ihn. Sie war mehr durchgeschüttelt als verletzt und berührte überrascht die Wunde, als sie sich aufsetzte. Dann fiel ihr die Maschine ein.

»Alex – sie haben sie abgeschossen!«

Er nickte grimmig. »Sie haben uns in Ruhe gelassen – bis wir zu nahe herankamen.«

Julias Augen verengten sich vor Entsetzen.

Sie wußte es, konnte es aber noch nicht akzeptieren.

»Es muß ein Unfall gewesen sein, Alex. Es kann nicht Absicht gewesen sein.«

»Es war volle Absicht«, sagte er hart und tonlos. »Sie haben uns auf dem ganzen Weg mit Radar verfolgt. Wir sollten graziös hinuntertauchen und den Rest der Radioaktivität überlassen, aber das haben wir nicht getan.«

»Sie wollen unseren Tod«, sagte Julia ausdruckslos, so als müsse sie es aussprechen, um es zu glauben.

»Nicht unseren. Meinen. Ich weiß etwas. Etwas, woran ich mich nicht erinnern soll. Aber einen Vorteil haben wir jetzt – wir *sind* tot.«

»Könnten sie uns beim Absprung gesehen haben?«

»Das glaube ich nicht. Es war noch dunkel. Und sie haben auf die Maschine geachtet, nicht auf uns.«

Julia schaute sich um. »Hast du etwas gesehen?«

»Nein, nichts.« Er zog eine Tube Salbe aus dem Kasten. »Reib das in die Wunde«, sagte er. »Ich muß den Fallschirm herunterholen.«

Die verwickelten Seidenbahnen hatten sich in den Ästen verfangen, aber er konnte die meisten befreien. Dann zog er sein Messer heraus und schnitt die übrigen ab; sie zuckten hoch in das Geäst, von unten nicht mehr zu sehen.

Parnell ging mit Julia zu seinem Landungsplatz zurück. Julia trug den Rettungskasten auf dem Rücken. Der Himmel begann sich blau zu färben, als sie die Stelle erreichten. Parnell versteckte seinen Fallschirm unter Steinen, und sie gingen auf den Fluß zu, nach Norden.

Parnell bemerkte etwas zwischen den Bäumen. Er warnte Julia, und sie warteten. Zwei Gestalten tauchten aus den Schatten auf und kamen auf sie zu, zerlumpt gekleidete

Männer um die Vierzig. Sie waren sehr schmutzig und lächelten eifrig.

»Wie geht's?« rief einer der Männer. Beide trugen lange, schwere Stöcke.

»Wie steht es mit dem Essen?« fragte der andere, als sie stehenblieben.

»Was ist in dem Rucksack? Schau dir das an, Donny!« sagte der erste.

»Die haben sicher gute Sachen dabei«, meinte der andere.

Parnell schob Julia zurück.

Der zweite Mann trat näher, angezogen vom silbrigen Schimmer des Fliegeranzugs.

»Schau dir das an«, meinte er.

»Die verteilen sie jetzt wohl«, sagte der andere, der sich Donny nannte.

»Vielleicht sind sie was Besonderes«, sagte der erste. »Ich habe sie hier noch nicht gesehen.«

»Was wollt ihr?« fragte Parnell.

Die beiden Männer sahen einander grinsend an.

»Na, erst mal sehen, was in den Kästen ist«, sagte Donny. Er ging auf Julia zu.

Parnell vertrat ihm den Weg und sagte: »Verschwindet.«

Donny blieb stehen und sah ihn betroffen an.

Der andere Mann wurde ungeduldig.

»Wir wollen das Zeug. Her damit.«

Und Donny, der Kleinere, betrachtete Julia und meinte: »Ja, und ich will den Anzug da. Sie haben ja noch etwas an, Sie erfrieren nicht.«

»Und ich kriege Ihren«, sagte der andere zu Parnell.

Parnell wich langsam zurück und griff nach dem versteckten Messer, als die beiden Männer mit erhobenen Stökken auf ihn zugingen.

»Kommt nicht näher«, sagte Julia. »Wir sind R. A.«

Die Worte wirkten schlagartig. Die Männer erstarrten.

»Ihr seht aber nicht so aus«, meinte der erste nach einer Weile.

»Na gut«, sagte Julia. Sie nahm den Kasten ab und warf ihn ihm hin. »Los, nehmt ihn.« Die beiden Männer sprangen zurück, so als habe sie eine Bombe geworfen. Sie starrten ihn unsicher an. »Los, nehmt ihn«, wiederholte Julia.

»Nichts wie weg hier«, flüsterte Donny. Der andere Mann drehte sich sofort um und eilte davon, gefolgt von seinem Begleiter. Nach kurzer Zeit waren sie verschwunden.

»Was war denn das?« fragte Parnell.

Julia verriet keinen Stolz. Sie hob den Kasten wieder auf.

»Ich habe gesagt, daß wir R. A. sind. Das ist genauso, als sage man, daß man die Pest hat.«

»Radioaktiv?« fragte Parnell, dem plötzlich ein Licht aufging.

»Ja. Es ist natürlich nicht ansteckend, aber daran glaubt niemand.«

»Dann hat die Strahlung also nicht alle umgebracht.«

»Nein, es hing von der Dosis ab. Ungefähr fünfzehn Prozent der noch lebenden Menschen sind ihr ausgesetzt gewesen. Sie sterben mit der Zeit, aber niemand kann etwas unternehmen.«

Sie zogen die Fliegeranzüge aus, beschmierten sie mit Schmutz und schoben sie durch die Gurte der Rettungskästen.

Vor ihnen lag eine Art Lager. Sie sahen Menschen herumgehen und Dutzende von kleinen Lagerfeuern. Es herrschte Stille.

Sie kamen näher, und als erkennbar wurde, daß man sie nicht belästigen würde, gingen sie durch das Lager. Sie kamen an einer Gruppe um ein Feuer vorbei. Drei Männer, zwei Frauen und ein Kind von fünf oder sechs Jahren. Sie waren alle zerlumpt.

»Bruder, willst du dich zu uns setzen?« sagte einer der Männer.

»Schwester?« meinte eine der Frauen. »Wir teilen mit euch.«

Julia zögerte und sah Parnell an. Er wandte sich dem Mann zu und es fiel ihm schwerer als bei den beiden, die sie hatten überfallen wollen. »Danke« sagte Parnell. »Wir haben schon gegessen.«

Der Mann nickte.

»Dann sei Gott mit dir, Bruder. Gott mit dir, Schwester.«

»Gott mit euch«, sagte jemand. Und die anderen murmelten es nach, selbst das Kind.

Hinter dem Lager schritten sie über ein großes Feld und einen Hang hinauf. Oben blieben sie stehen und starrten stumm vor sich hin. In beiden Richtungen erstreckte sich eine achtspurige Autobahn, und kaum hundert Meter nördlich drängten sich erstaunlich viele Menschen um eine kleine Zeltstadt. Auf der Straße selbst strömten Menschen hin und her zwischen den riesigen Zeltansammlungen.

Viele schleppten Karren, die meisten kleine, handgefertigte Apparate mit Autoreifen. Gelegentlich sah man ein Fahrradgefährt, die Limousinen der neuen Gesellschaft.

Aber es gab auch ein paar Lastwagen mit Militärsternen, die sich hupend einen Weg durch die Menge bahnten. Dies war also die neue Ordnung, diese Anarchie.

»Ein Biwak«, flüsterte Julia betroffen.

»Ein Irrenhaus«, sagte Parnell nach einer Weile.

Unendlich lange Menschenschlangen wälzten sich aus dem nächstgelegenen Zeltbereich. Hinter einer leeren Fläche standen Zelte mit roten Kreuzen. Ringsherum gab es provisorische Lager aus winzigen Zelten, Hütten und Unterständen.

Sie gingen auf die erste Gruppe von Zelten zu. Ein kleines Schild an der Straße lautete: ›Bundeshilfsbiwak – Castle Rock‹. Über einem Verwaltungszelt flatterte eine amerikanische Fahne, dahinter befanden sich die Quartiermeisterzelte. Die Nahrung war rationiert; die Zigeuner wurden zuerst durch die Verwaltungszelte geschleust, wo man die Ausweise prüfte, dann bekamen sie Nahrungsmittel.

»Weg hier«, sagte Parnell bedrückt. Die Szene erfüllte ihn mit Hoffnungslosigkeit.

Sie schlossen sich der langsam dahinziehenden Masse nach Norden an. Auch sie waren jetzt Nomaden.

Militärpolizisten hielten die Ordnung aufrecht. Aber es gab keine Sperren, niemand suchte offenbar nach ihnen. Sie stapften stumm dahin. Manchmal sahen sie R. A. in einiger Entfernung auf den Feldern. Sie waren Parias, die nicht im Hauptstrom mitgehen durften, man fürchtete und verabscheute sie, wie die Blicke der Nomaden verrieten. Die meisten verseuchten Menschen wankten auf die Rotkreuzzelte zu.

Weit rechtsab von der Straße sah Parnell eine kleine

Gruppe dahinwanken, zu krank für den weiten Weg, aber entschlossen, beisammenzubleiben.

»Was wird aus ihnen?« fragte er.

»Ich weiß es nicht«, erwiderte Julia.

Es war ganz klar, was mit ihnen geschehen würde: früher oder später würden sie zusammenbrechen. Vielleicht kümmerten sich die Sanitäter um sie, aber davon gab es nicht genug. Weit eher würden sie sterben, wo sie zusammenbrachen.

Ein hupender Lastwagen bahnte sich hinter ihnen einen Weg. Die Nomaden machten Platz, ohne sich umzudrehen. Sie waren nun schon fast zwei Stunden dahinmarschiert. Ab und zu fielen ein paar Worte, dann herrschte wieder Schweigen. Es war ein ungewöhnlich heißer Tag am Sommerende; niemand vergeudete mehr Energie als nötig.

Ein Mann vor Parnell schob die Deckenrolle auf die andere Schulter und hob anklagend die Hand.

»Bleib weg, du Schweinehund! Weg da!«

Ein einzelner R. A. war an die Straße herangewankt und schüttelte hilflos eine leere Feldflasche. Sein Gesicht war leichenblaß. Die Nomaden machten einen Bogen um ihn, und die Schritte wurden schneller.

»Saukerle«, sagte der Mann mit der zusammengerollten Decke.

»Wissen Sie, wie das ist?« meinte eine Frau. »Sie haben die Krankheit und wollen, daß alle anderen sie auch kriegen.«

Der R. A., der zurückgeblieben war, gab Anlaß zu einigen Bemerkungen.

»Man sollte sie zusammentreiben«, meinte jemand zornig.

»Ja, wofür zahlen wir eigentlich Steuern?« sagte ein Mann. Und alle lachten.

»Ich habe mal erlebt, wie ein paar R. A. gesteinigt worden sind.« Der drahtige Mann, der das sagte, grinste breit.

Der Mann mit der Deckenrolle hob einen Stein auf und warf ihn nach dem R. A. Er verfehlte ihn, aber viele Leute lachten. Julia umklammerte Parnells Arm und spürte, wie der Zorn in ihm hochstieg. Sie hielt ihn zurück.

Ein anderer hatte einen Stein aufgehoben, aber jemand rief: »Ach was, laßt ihn in Ruhe«, und die Spannung legte sich.

Die Straße wurde uneben und rissig. Mit jedem Meter wurde es schlimmer. Auch die Landschaft hatte sich verändert; ein gewaltiger Luftdruck war durch das Tal gebraust und hatte die älteren und schwächeren Bäume ausgerissen. Die Lücken im Wald wurden immer zahlreicher, je weiter sie nach Norden kamen. Schließlich standen überhaupt keine Bäume mehr, und die Farbe wechselte von Grün zu Aschgrau – wie die der ganzen Umgebung. Sie betraten die Explosionszone, in der Denver und Umgebung vernichtet worden waren.

Die Menschen wurden immer stiller. Man hörte nur das Knarren der Karrenräder und das Schlurfen der Füße auf dem rissigen Boden; ab und zu weinte ein Kind, ein Lastwagen brummte vorbei, dann wurde es wieder still.

Erregung pflanzte sich durch die langen Reihen fort. Sie näherten sich dem Siedlungsgebiet der Versuchszone 19. In kurzer Entfernung stiegen Staubwolken auf, und man hörte Baumaschinen dröhnen. Kurz danach tauchte das Metallgerüst des Komplexes auf, der Kern einer erst zu erbauenden Stadt. Er würde viel kleiner sein als Komplex Eins, wenn er fertig war, und trotzdem von beträchtlicher Größe; aber bis dahin würde noch viel Zeit vergehen.

Die Siedlung war von einem hohen Zaun mit Stacheldrahtrollen umschlossen, an dem Posten patrouillierten. Die Nomaden drängten sich an dem Zaun und verfolgten die Arbeiten.

»Das geht ja ganz gut voran«, meinte jemand.

»Ich kenne einen, der da arbeitet«, sagte ein Mann wichtigtuerisch.

»Ich habe mich bei Siebzehn beworben«, erklärte ein anderer. »Nächstes Jahr vielleicht.«

»Verlaß dich nicht darauf«, rief eine Stimme, und Gelächter brandete auf.

»Was sind Sie?« fragte der erste Mann.

»Elektriker«, sagte der andere stolz. Man nickte beifällig. Dieser Beruf brachte einiges Prestige mit sich. Eine der großen Probleme der Nachkriegswelt war ja, daß es viel mehr Menschen als Arbeit für sie gab.

»He, wenn Sie nach Siebzehn zurückkommen, erkundigen

Sie sich mal, ob die einen Versicherungsagenten brauchen können«, rief der Humorist dazwischen.

Die Nomaden starrten aufgeregt durch den Zaun. Im Lärm der Maschinen und im Gewimmel der Arbeiter wurde die Hoffnung geboren. Die neue Stadt in ihren Geburtswehen verkündete das neue Leben.

Aber das lag noch in weiter Ferne, und die Nomaden sahen auch voll Neid auf die langen Reihen ordentlicher Zeltbaracken, auf die Leute, die gut zu essen bekamen, gekleidet und untergebracht wurden. Die neue Welt hinter dem Zaun würde eines Tages ihnen gehören, aber jetzt konnten sie nicht näher heran.

Die hohen Zäune und der beschränkte Zutritt waren die Folge von weitverbreiteten Unruhen nach dem Krieg, als man die Versuchszonen durch Entstrahlung geschaffen hatte. Bei den Überfällen auf die Depots hatte es blutige Massaker gegeben.

Die Probleme waren immer noch nicht gelöst. Die Produktion synthetischer Nahrungsmittel entsprach nach wie vor nicht dem Bedarf, und die Verteilung bereitete Schwierigkeiten. Erstens stammte fast alles aus dem Komplex Eins, und zweitens war ein Großteil der Bevölkerung auf Wanderschaft, was die Regierung unterstützte, um nirgends allzu große Menschenansammlungen entstehen zu lassen.

Dies und noch vieles andere erfuhr Parnell auf dem Marsch zur Siedlung, einem Weg von etwa achtzehn Kilometern, zu dem sie etwa fünf Stunden gebraucht hatten.

23

Parnell begann aufzuatmen, als sie an der Siedlung und ihrem Heliport vorbei waren. Sie waren auf keine Suchmannschaften gestoßen. Die Behörden hielten sie offenbar für tot. Das erste große Hindernis auf ihrem Weg schien beseitigt zu sein.

Ein paar Kilometer nördlich verkündete ein Schild: ›Sie verlassen Versuchszone 19‹. Zuerst waren kaum Veränderungen wahrzunehmen. Sie befanden sich immer noch in der Luftdruckzone, und die Erde sah überall aschfarben aus.

Dann bemerkte Parnell eine Reihe hoher Metallmasten mit flatternden roten Wimpeln zu beiden Seiten der Straße. Sie rückten näher und bildeten schließlich einen strahlungsfreien Korridor von etwa 125 Metern Breite.

Der Verkehr ließ nach. Viele Menschen, die nach Norden zogen, warteten die mittägliche Hitze ab, bevor sie sich wieder auf den Weg machten. Schließlich begann sich die Landschaft zu verändern. Bäume tauchten wieder auf, und aus grauem Weiß wurde Grün.

Die Straße schlängelte sich den Bergen zu, und sie mußten bergan steigen, aber die Stimmung der Menschen hob sich allgemein. Parnell sah verlassene Gebäude auftauchen, Tankstellen, verrostete Fahrzeuge, Straßenschilder, die nirgends hinwiesen. Alles war von den vorbeiziehenden Horden demontiert worden.

Von Zeit zu Zeit kamen sie an großen Wassertankzügen vorüber, die mit Dutzenden von Hähnen versehen waren. Sie stellten das lebenswichtige Bindeglied zwischen den Zonen dar und waren stets von vielen Nomaden umlagert. Parnell und Julia stellten sich an und füllten die zusammenlegbaren Plastikflaschen. Das Wasser war chemisch behandelt und schmeckte faulig, aber es war kühl und nicht rationiert.

Die Straße wand sich zum Gebirge hinauf. Sie erstiegen sanfte, bewaldete Hänge, und der Verkehr wurde noch dünner, als sich viele Leute im Schatten der Bäume auszuruhen begannen. Parnell drängte weiter, bis er Julias Erschöpfung bemerkte, dann gingen sie auf den Wald zu.

Julia ließ das Gepäck von den Schultern gleiten. Sie seufzte erleichtert. Sie hatten geraume Zeit geschwiegen, und ein einziger Blick schien für die kritischen und zusammengedrängten Stunden des langen Vormittags zu genügen. Sie brachen Stücke von der konzentrierten Nahrung ab, die Julia aus dem Frachtraum des Hubschraubers geholt hatte, tranken Wasser dazu und lagen ruhig und friedlich unter den Bäumen.

Parnell durchsuchte das Gepäck und fand mehr, als er erwartet hatte; außer dem Sanitätskasten gab es konzentrierte Nahrung für neun Tage, Vitamintabletten, einen Geigerzähler, einen Kompaß und eine dünne Zeltbahn, ja sogar Seife, Zahnpasta, Zahnbürsten und Klosettpapier.

»Das nenne ich Wohlfahrtsstaat«, meinte er.

Julia lächelte, fragte aber besorgt: »Alex – wohin gehen wir?«

Er zuckte die Achseln.

»Mit den Nomaden. Wohin uns der Wind weht.«

Julia sah ihn fragend an, aber dann gellte ein schriller Schrei durch den Wald. Er wiederholte sich, gefolgt von Rufen und aufgeregten Stimmen. Parnell und Julia sprangen auf, als ein Mann durch den Wald gerannt kam und schrie: »Fledderer!«

Parnell sah Julia an, aber das Wort sagte ihr nichts. Man hörte wieder einen Schrei, und Parnell sagte: »Warte hier.«

»Nein, ich gehe mit.«

Sie liefen los und sahen eine Gruppe von Personen, die offenbar miteinander stritten. Ein Mann und eine Frau verbargen sich hinter Bäumen und sahen hinüber; der Mann fuhr herum, als er Parnell und Julia kommen hörte.

»Mein Gott«, sagte er erleichtert. »Ich dachte schon, Sie gehören auch dazu.«

»Was ist da los?« fragte Parnell.

Der Mann wies mit einer Kopfbewegung zu den Gestalten hinüber.

»Fledderer.«

»Sie haben ein Mädchen erwischt«, sagte die Frau mit schwankender Stimme.

Aus dem Augenwinkel sah Parnell Menschen von den Bäumen zur Straße schleichen, fort von dem, was sich dort abspielte.

»Nicht hingehen«, warnte der Mann, als Parnell sich auf den Weg machen wollte.

»Sie bringen Sie um«, sagte die Frau.

Wieder gellte ein Schrei.

»Himmel Herrgott«, sagte Parnell verzweifelt. »Bleibt hier!«

Julia griff nach ihm, aber er lief geduckt los.

Parnell hielt sich hinter den Bäumen und kniete dann hinter einer dicken Fichte nieder. Ein Mann mit blutigem Gesicht lag wimmernd am Boden neben einem Karren. Auf dem Karren saß eine ältere Frau, starr vor Entsetzen, und hinter dem Karren drängte sich eine Anzahl von Jugendlichen mit wirren, langen Haaren; aus dem Getümmel drang das Jammern eines Mädchens.

Sie waren mit Gewehren, Pistolen, Messern und Knüppeln bewaffnet. Zwei von den jungen Männern – Parnell zählte insgesamt sieben – schlenderten zum Karren und kramten darin herum. Sie hatten Säcke dabei und warfen alles hinein, was ihnen brauchbar erschien – und die ganze Zeit saß die ältere Frau wie eine Wachsfigur oben auf dem Gefährt. Die Kerle lachten und unterhielten sich miteinander. Parnell sah einen Augenblick das Gesicht des Mädchens, über das sie hergefallen waren; sie konnte nicht älter als fünfzehn sein. Er sah ihren nackten Körper, die zerfetzte Kleidung, und dann war sie wieder verdeckt.

Parnells Hand schloß sich um sein Messer. Er hörte ein Geräusch hinter sich, und Julia packte seinen Arm. Ihre Augen flehten ihn an. Parnell stieß sie zornig weg, aber sie klammerte sich an ihm fest.

»Was geschieht mit mir, wenn sie dich umbringen?« fragte sie verzweifelt.

Hinter dem Karren wurde brüllendes Gelächter laut.

»He, schaut euch das an!« rief eine Stimme. »Der alte Caffey kann nicht mehr!«

»Er braucht eben Hilfe«, sagte ein anderer, und die Kerle begannen einen ihrer Genossen hochzuheben.

»Na, mach schon«, schrie einer.

»Fertig, los«, schrien die anderen und ließen den Burschen auf das Mädchen fallen.

»Vorbei getroffen«, sagte einer.

»Ja, das Ziel sehe ich aber genau, ist noch ganz mobil.«

»Na, ich hab' ganz schön 'reingetroffen«, brüllte einer.

»Womit denn?« spottete ein anderer. In diesem Augenblick kam einer ihrer Genossen von der Straße angelaufen.

»He, die Reiterei kommt!«

»Verdammt! Wie viele?«

»Weiß nicht genau. Großer Laster.«

»Na, Leute, ich glaube, wir verdrücken uns«, sagte der Anführer.

Sie hasteten davon, in den Wald hinein, während die Frau, der Mann und das Mädchen zurückblieben.

Als sie verschwunden waren, wollte Julia auf das Mädchen zugehen, aber Parnell riß sie zurück. Ebenso plötzlich gab er sie frei, und Julia sah in seinen Augen, wie hilflos er war. Eine Gruppe von Soldaten erschien zwischen den Bäumen, gefolgt von Nomaden. Parnell griff nach Julias Arm, und sie schlichen davon.

Die Soldaten hatten ihre Maschinenpistolen im Anschlag, machten aber keinen Versuch, die Fledderer zu verfolgen. Sie hoben das Mädchen auf den Karren, halfen dem verletzten Mann auf die Beine und zogen den Karren auf die Straße. Zwei Soldaten bildeten die Nachhut.

Parnell blieb lange neben ihrem Gepäck sitzen und schwieg. Endlich nahm er seinen Kasten auf die Schulter und trat zu Julia. Sie stapften zur Straße.

Dort hatte sich um einen Militärlastwagen eine zornige Menge angesammelt. Das Mädchen und der verletzte Mann befanden sich im Fahrzeug, während eine Gruppe von Menschen die alte Frau umringte. Man sah ein halbes Dutzend Soldaten, und der Sergeant, gegen den sich die Beschimpfungen vornehmlich richteten, lehnte am Lastwagen.

Anscheinend war das Fahrzeug zufällig vorbeigekommen, denn der Sergeant richtete sich plötzlich auf und sagte zu einem der erbosten Männer: »Hören Sie mal, ich hätte überhaupt nicht zu halten brauchen, kapiert?«

»Aber was macht ihr gegen die Fledderer?«

»Ich halte mich an meine Befehle. Ich bringe einen Trupp nach Neunzehn, das ist alles. Niemand hat mich beauftragt, Fledderer zu jagen.«

»Und wie sollen wir ein Lager aufschlagen?« fragte eine Frau. »Wir kommen heute nicht mehr bis Estes.«

»Das weiß ich nicht. Geht nach Castle Rock zurück.«

»Da kommen wir gerade her«, sagte ein Mann mit rotem Gesicht zornig. »Wer gibt uns neue Rationierungskarten? Sie?«

»Was soll ich denn tun? Sie können von Glück sagen, daß ich einen Sanitäter dabei habe.«

»Ihr habt Waffen«, sagte jemand. »Warum holt ihr die Kerle nicht aus dem Wald?«

»Weil ich dazu keinen Befehl habe«, gab der Sergeant zurück.

»Ja, weil ihr Angst habt«, meinte der Mann.

»Jetzt aber mal langsam, Freund«, warnte der Sergeant.

Man stritt sich weiter. Überfälle von Fledderern waren

nichts Neues, aber ihr Auftauchen in diesem Gebiet erschreckte viele. Gewöhnlich streiften sie in gehöriger Entfernung von den Versuchszonen durch die Gegend.

Die Fledderer erschwerten das Dasein der Nomaden beträchtlich. Sie griffen rücksichtslos an und waren praktisch unverwundbar, weil sie sich hinter die Demarkationslinien in die Wälder zurückzogen, in die vage begrenzte neutrale Zone hinter den roten Wimpeln. Daß es eine neutrale Zone überhaupt gab, war bekannt, aber nur die Fledderer wagten sich hinein. Die Soldaten konnten selten dazu bewogen werden, ihnen zu folgen.

In den Gebirgsgegenden diente das Militär nur dazu, Konvois zu begleiten, aber zwischen Estes und der Versuchszone 19 waren keine Fahrzeuge dazu eingeteilt.

Der Sergeant versprach schließlich, in VZ 19 sofort Meldung zu machen. Binnen ein, zwei Stunden würden Streifen unterwegs sein.

Danach wurde es auf der Straße sehr ruhig. Die Nachricht von dem Überfall verbreitete sich rasch, und als der Lastwagen verschwunden war, drängten die Nomaden zueinander.

Trotzdem gab es Gruppen, die sich nicht einschüchtern ließen und weitermarschierten. Waffen tauchten plötzlich auf – Gewehre, Flinten, Pistolen; ein Mann hatte ein paar Handgranaten, ein anderer einen alten Säbel. Auch auf der Straße schloß man sich aneinander an.

Die Gruppe, zu der Parnell und Julia gehörten, stapfte geraume Zeit dahin. Es wurde kühl, und als die Sonne hinter dem Grat vor ihnen verschwand, schien es schlagartig dunkel zu werden. Bald wurde die Losung durchgegeben, daß man für die Nacht anhalten wolle.

Die Bewaffneten übernahmen die Wache. Man schlug an der Straße ein Lager auf und machte Feuer, um sich zu wärmen und Licht zu haben; zu kochen gab es nichts. Parnell und Julia saßen nebeneinander und starrten in die Flammen. Seit dem Vorfall mit den Fledderern hatten sie kaum miteinander gesprochen.

Plötzlich sagte Julia: »Du hättest nichts tun können. Gar nichts.«

Sie stand auf, trat an eines der Lagerfeuer und wärmte

sich die Hände. Dann kam sie zu ihm zurück und lehnte den Kopf an seine Schulter.

»Alex. Bitte.«

Er nahm ihre Hand und hielt sie schlaff in der seinen. Schließlich sagte er: »Ich hätte etwas tun müssen, Julia. Irgend etwas. Vergessen wir es.«

Ein hochgewachsener, schüchterner Mann Anfang Vierzig kam nach einer Weile heran, deutete auf Parnells Gepäck und lächelte.

»Sieht aus wie Luftwaffe«, meinte er.

Parnell zögerte.

»Stimmt.«

»Ich war früher auch dabei«, sagte der Mann. »Deshalb habe ich die Ausrüstung erkannt. Wo sind Sie stationiert gewesen?«

»In Washington«, sagte Julia hastig. »Stützpunkt Andrews.«

Der Mann sah interessiert auf.

»Da bin ich auch schon gewesen. Vor fünf Jahren etwa. Wie hat es Ihnen gefallen?«

»Ganz gut«, sagte Parnell. »Hat sich aber sehr verändert.«

Der Mann lachte. Eine Frau trat zu ihm, und er legte den Arm um sie.

»Das ist Claudia. Ich heiße Frank Hill.«

Die Frau, die sehr gut aussah, wandte sich an Julia.

»Seid ihr beiden verheiratet?«

»Ja.«

Claudia lächelte.

»Schön«, sagte sie. »Wir sind es alle nicht. Frank und ich und noch ein Bekannter, wir sind zusammen unterwegs. Wir haben uns auf der Straße kennengelernt.«

»Sie sind nicht in Washington gewesen, als es bombardiert wurde, wie?« spaßte Hill.

»Wir waren gerade auf einer Übung«, erwiderte Parnell. »Reines Glück.«

»Da scheint euch einer was verraten zu haben. Sie wissen wohl, daß ich Sie melden muß –«

Parnell spannte die Muskeln an, aber dann grinste Hill und deutete auf Julia.

»Wegen Mitführens eines Passagiers ohne Erlaubnis.«

»Wie ist das mit den Fledderern?« fragte Claudia. »Es wird immer schlimmer.«

»Deshalb verlassen wir die Berge«, erklärte Hill. »Wir sind immer in ihrer Nähe geblieben, weil man sich da sauberer fühlt, aber es wird so arg, daß man nicht mehr bleiben kann.« Er sah Claudia an. »Sie haben Claudias Schwester erwischt«, sagte er.

Es war lange her. Claudia zuckte die Achseln und sagte: »Deshalb kann man nicht allein unterwegs sein, ohne Mann. Sie erwischen einen immer.«

»Das ist sogar mitten in einem Biwak passiert. Denen ist alles egal.«

»Ich bin entwischt. Ich lief davon und versuchte Hilfe zu holen, aber niemand wollte mitkommen. Die arme Ann, sie haben sie übel zugerichtet. Aber es war nicht mehr entscheidend. Sie hatte die Seuche. Voriges Jahr um diese Zeit ist sie gestorben.«

Hill stieß mit der Schuhspitze in den Boden.

»Sie werden immer schlimmer. Manche sind völlig verdreht. Sie benutzen Messer, damit Spuren bleiben.«

Claudia zeigte auf ihre Brust.

»Hier«, sagte sie. »Da macht es ihnen am meisten Spaß.«

Die beiden schienen kein Ende zu finden, und Parnell fragte schließlich abrupt: »Wie ist es in sechsundzwanzig?«

»Ziemlich groß«, sagte Hill sofort. »Ich bin nie dort gewesen, aber das weiß ich. Es ist auch gar keine Versuchszone, sie nennen es nur so, weil es groß ist. Aber es wird nicht gebaut. Sie haben dort nur ein Biwak.«

»Das verstehe ich nicht«, sagte Parnell. »Warum entseuchen, wenn nicht gebaut wird?«

»Das ist der Glacier-Nationalpark«, sagte Hill. »Wußten Sie das nicht? Fast unberührt.«

»Wieso?«

»Wer weiß? So etwas gibt es eben. Man findet allerhand unverseuchte Gegenden, hauptsächlich im Gebirge. Man kommt aber nicht hin. Nirgends ist es aber so groß wie in Sechsundzwanzig. Sie hatten nicht einmal ein Depot dort, aber eben keine Strahlung, legten also ein paar Korridore an und errichteten ein Biwak. Das ist alles.«

»Sicher sehr voll«, sagte Parnell.

»Nein, zu weit ab von allem. So weit will niemand hinauf. Wollen Sie etwa hin?«

»Vielleicht.«

»Wir gehen von Dreiundzwanzig aus nach Südwesten, zur Küste«, sagte Claudia.

»Sie wollen die Küste teilweise entstrahlen«, sagte Hill.

»Wißt ihr, was ich möchte?« meinte Claudia verträumt. »Ich möchte im Meer schwimmen.«

Nach einer Weile sagte Parnell: »Wie lange würde man brauchen? Nach Sechsundzwanzig?«

»Zwei Monate.« Er bemerkte Parnells Überraschung und lächelte. »Einschließlich der Fahrt von Dreiundzwanzig aus. Die Soldaten nehmen einen mit.«

»Ja?« sagte Julia. »Ich denke, sie dürfen keine Zivilisten befördern.«

»Nicht, solange man noch gehen kann«, sagte Hill. »Aber sobald es schlechtes Wetter gibt und sich alle verkriechen, nehmen sie jeden mit, der nach Norden will. Dadurch vermindert sich der Druck auf die Versuchszonen im Süden während des Winters.«

»Warum überhaupt nach Norden?« sagte Claudia. »Es ist doch zu kalt dort.«

»Wir haben Flitterwochen«, erklärte Parnell. Er wies auf die Pistole in Hills Gürtel. »Wo haben Sie die her?«

»Ich hab' sie vor ein paar Monaten gegen ein Paar Stiefel eingetauscht«, antwortete Hill und senkte die Stimme. »Ich kenne einen, der eine übrig hat. Er tauscht sie vielleicht, wenn Sie was haben für ihn.«

Hill brachte Parnell und den Mann mit der zusätzlichen Pistole zusammen, und man wurde schnell einig: die Pistole mit Munition gegen Parnells Geigerzähler.

Estes war in der Vorwoche von Fledderern überfallen worden, vermutlich von derselben Bande. Sie waren ungeachtet der Soldaten in die Rotkreuzzelte eingedrungen und hatten den hilflosen R. A. Lebensmittel und andere Dinge gestohlen. Daher stammte auch ihr Name. Nur Ärzte wagten sich an die R. A. heran – und eben die Fledderer.

Parnell und Julia gingen an den langen Schlangen vor der Biwakverwaltung vorbei. Es hatte keinen Sinn, sich anzustellen. Sie besaßen keine Ausweiskarten und dachten nicht daran, sich einer behördlichen Prüfung auszusetzen.

So zogen sie wieder auf die Straße und fügten sich in den Rhythmus des Marschierens ein. Die hochragenden Berge lehrten Geduld; jeder Tagesmarsch wurde zu einer Herausforderung, das Ziel war etwas Sichtbares, ein Grat hoch über der gewundenen Straße, eine Schlucht tief unten.

Motorisierte Patrouillen wurden jetzt häufiger, und die Nomaden überließen die Wache bei Tag den Soldaten, aber wenn es dunkel wurde, drängten sie sich zusammen. Auch, um sich zu wärmen. Die Kälte war nun der eigentliche Feind. Westlich von Estes waren die Pässe 3000 bis 3500 Meter hoch, und in Mulden lag ewiger Schnee. Jedes Gebäude entlang der Straße war nachts überfüllt. Man rollte sich in Decken oder schlüpfte in Schlafsäcke. Möbel gab es schon lange nicht mehr. Man hatte alles zu Brennholz gemacht.

Obwohl die Nomaden von riesigen Wäldern umgeben waren, stand ihnen außer Zweigen und kleinen Ästen kein Brennholz zur Verfügung; die Regierung hatte entdeckt, daß die entseuchten Waldkorridore immer noch Gefahr bargen. Wenn das Holz verbrannt wurde, setzte der Verbrennungsprozeß strahlende Teilchen frei, die sonst innerhalb der Holzsubstanz abgeschirmt gewesen waren.

Parnell und Julia mieden die überfüllten Gebäude und legten sich unter ihre abgedichteten Zeltbahnen. Es wurde so warm darin, daß sie die Fliegeranzüge ablegen konnten.

Einmal nachts, nachdem sie sich geliebt hatten, fragte Julia: »Alex, warum willst du nach Sechsundzwanzig?«

»Warum nicht?« gab Parnell zurück.

»Das müssen dreitausend Kilometer sein.«

»Wir schaffen es.«

»Aber wozu?«

»Ich weiß es nicht genau«, sagte er. »Das sehen wir, wenn wir dort sind.«

Die Berge waren rauh und streng, aber ihre grandiose Pracht rief ein freudiges Gefühl hervor, das ihnen half, die Anarchie ihres Daseins zu ertragen und zu vergessen, daß die Welt ein Schutthaufen geworden war.

Aber die Berge konnten sie nicht ewig stützen. Als sie in Granby das Biwak erreichten, waren ihre Rationen verbraucht.

24

Parnell wußte, daß der schwarze Markt blühte. Man wußte allgemein, daß man Rationen erstehen konnte, durch Händler unter den Soldaten oder bei den Nomaden. Er konnte aber nichts gewinnen, wenn er ihre Habe weggab; damit war die Krise nur hinauszuschieben. Parnell sah ein, daß sie Ausweiskarten brauchten.

Das Problem dabei war, daß Ausweiskarten auf dem schwarzen Markt nicht gehandelt wurden. Der Grund war einfach genug: Die Nomaden wollten nichts damit zu tun haben, aus Angst, sie könnten von toten R. A. stammen.

Parnell kannte solche Vorbehalte nicht; er konnte sich das nicht leisten. Er erklärte Julia seinen Plan, und sie nickte schließlich grimmig. Sie warteten, bis es dunkel wurde, dann gingen sie zu den Rotkreuzzelten, dem Bereich, den die Nomaden ›Friedhof‹ nannten. Parnell hob eine Klappe und betrat einen abgeteilten Raum, wo ein Arzt saß und seine Mahlzeit verzehrte. Er sah auf und wies auf einen Stapel Formulare.

»Ausfüllen.«

»Wir sind nicht krank«, sagte Parnell.

Der Arzt sah betroffen auf.

»Was wollen Sie dann?«

»Es handelt sich um meine Schwester«, sagte Julia. »Sie liegt im Zelt.«

»Ich bin Pfarrer«, sagte Parnell. »Ein Freund der Familie. Ich möchte die Sterbesakramente spenden.«

Die Furcht des Arztes verschwand; er hatte angenommen, sie seien Fledderer. Er betrachtete die beiden spöttisch.

»Sterbesakramente? Soll das ein Witz sein?«

»Nein«, sagte Parnell. »Ich meine es sehr ernst.«

»Sie wollen da hinein?«

»Das sind Gottes Kinder.«

»Tja, man sieht es ihnen nicht an. Außerdem ist das nicht erlaubt. Sie müssen draußen beten.«

»Es ist sehr wichtig für mich«, sagte Julia. Sie zog etwas aus der Tasche. »Ich könnte Ihnen etwas geben.«

Der Arzt sah sie an.

»Was haben Sie denn?«

Sie zeigte ihm den Kompaß.

»Was soll ich damit anfangen?«

»Sie können ihn verkaufen«, sagte Parnell, der die Geduld verlor. »Sie wissen, was er wert ist.«

»Tja, meinetwegen.« Er griff nach dem Kompaß und betrachtete ihn. »Viel ist es nicht.«

»Dann lassen Sie's«, sagte Parnell und riß ihm den Kompaß aus der Hand.

»Geben Sie her«, sagte der Mann mürrisch und nahm den Kompaß wieder an sich. »Gehen Sie hinein.«

Das große Zelt war nur schwach beleuchtet und vollgestopft mit Feldbetten. Es war seltsam still; die meisten Opfer der Strahlung waren zu schwach zum Reden, zu erschöpft zum Stöhnen. Viele blickten aber mit wachen Augen um sich.

Sie fanden Julias Ausweis unerwartet schnell, in der ersten Reihe. Parnell nahm ihn einem Mädchen Mitte Zwanzig ab. Erst als er die Hand zurückgezogen hatte, bemerkte er, daß sie tot war.

Er kramte in den Brotbeuteln von einem halben Dutzend Männern seines Alters und seiner Größe, bevor er einen Ausweis für sich fand. Die Augen des Mannes beobachteten ihn interessiert, und plötzlich flüsterte er: »Sind Sie ein Fledderer?«

»Nein«, sagte Parnell. Er berührte den Arm des Mannes. »Es tut mir leid.«

»Ich habe Sie auch nicht für einen gehalten. Was suchen Sie?«

»Ich brauche einen Ausweis. Ich hab' keinen.«

Die Lider bewegten sich.

»In meiner Tasche.« Parnell zögerte. »Nehmen Sie nur.«

Parnell hob den ausgezehrten Körper hoch und fand die Ausweiskarte. Das wächserne Gesicht war qualvoll zu einem schwachen Lächeln verzerrt. Es fiel Parnell sehr schwer, das Lächeln zu erwidern.

»Schöner Mist, was?« stieß der Mann hervor.

Parnell nahm seinen Kasten ab und suchte etwas im Erstehilfepaket. Der Kranke schüttelte schwach den Kopf.

»Lassen Sie. Ich fliege. Ich spüre gar nichts.«

»Behalten Sie es trotzdem«, sagte Parnell und schob ihm ein kleines Päckchen in die Finger.

»Danke.« Plötzlich füllten sich die Augen des Mannes mit Tränen. »Mein Gott, wir haben alles verkorkst, was?«

Die Berge lagen endlich hinter ihnen. Sie schoben sich über die Unterholzwildnis des riesigen, windumtobten Hochlands, über dunkle, niedrige Hügel, ein unfreundliches Land unter bedecktem Himmel. Die Zeit verlor ihren Rhythmus, Licht verschmolz mit Dunkelheit, Dunkelheit mit Licht, und der Marsch von Biwak zu Biwak schien kein Ende zu nehmen.

Eines Nachmittags, in eisigem Regen, ging er zu Ende. Sie standen in betäubtem Schweigen geraume Zeit vor dem verblaßten Schild am Zugang zur Versuchszone 23. Dann grinsten sie breit und liefen auf das Biwak zu, Huntsville, nordöstlich des Großen Salzsees.

Sie hatten einen ungünstigen Augenblick erwischt. Im Biwak gingen wilde Gerüchte um. Schon bei ihrer Ankunft brauste ein halbes Dutzend Lastwagen voller Soldaten vorbei. Rings um das Lagerhaus hatten sich wütende Nomaden angesammelt.

Die Lebensmittel waren knapp. Vor einigen Tagen waren die Rationen schon um die Hälfte gekürzt worden, und niemand schien zu wissen, wann das ein Ende nehmen würde. Aus Angst wurde Panik. Die Lunte wurde durch das Eintreffen der Soldaten aus der Siedlung angezündet. Die Lastwagen brachen sich Bahn, wobei es viele Verletzte gab. Sie stellten sich im Halbkreis um den Lagersilo auf, und die Soldaten schafften mit den Gewehrkolben Platz.

Für die Menge bestätigte das nur die schlimmsten Befürchtungen. Man raste auf die Lastwagen zu, jemand gab einen Schuß ab, und die Schlacht war im Gange. Bald lagen überall Leichen verstreut.

Der Kampf war einseitig. Die Nomaden wurden zurückgetrieben, und sie schienen sich nicht mehr aufraffen zu können. Sie hatten einen zu hohen Preis bezahlt.

Parnell und Julia waren nur Augenblicke vorher angekommen. Ringsum strömten Menschen vorbei, düsteren Blicks, als seien sie jetzt erst zum Nachdenken gekommen. Parnell ergriff Julias Hand und führte das Mädchen zur Straße zurück.

Am nächsten Morgen hatte der Regen aufgehört, und die Soldaten hatten sich rings um das Lagerhaus verschanzt. Es war alles ganz unnötig gewesen. Die Nomaden blieben in ihren Lagern, als sei das Ganze ein Alptraum gewesen, den man möglichst schnell vergessen sollte, und warteten auf die Bestrafung, die bald kommen mußte.

Sie kam. Ein Anschlag am Schwarzen Brett teilte mit, daß die zwölf Männer und Frauen, die in das Lagerhaus eingedrungen waren, erschossen werden würden. Gleichzeitig wurde jede Lebensmittelknappheit bestritten und angekündigt, daß volle Rationen verteilt werden würden.

Die Erschießungen fanden kurz nach Sonnenaufgang statt, an der Mauer des Lagerhauses. Mit den Schüssen gehörte der Vorfall der Vergangenheit an. Die Nomaden drehten sich um und schlurften davon.

Am Mittag des nächsten Tages saßen Parnell und Julia in einem nach Norden holpernden Lastwagen, der zu einem Konvoi aus zwölf Fahrzeugen gehörte, unterwegs zur VZ 26. Erstaunlich wenige Nomaden hatten sich entschlossen, zusammen mit ihnen die Gegend zu verlassen. Trotz Aufruhr und Vergeltung hatte sich über die Lager ein merkwürdiges Gefühl der Sicherheit ausgebreitet. Mit den Erschießungen war der Gerechtigkeit Genüge getan, der Preis für Ausgeglichenheit bezahlt. Es kam ihnen unsinnig vor, die Zone jetzt zu verlassen.

Es war früher Morgen, und Julia schlief, als der Konvoi endgültig vor West Glacier in der Versuchszone 26 hielt. Parnell rüttelte sie wach.

»Wo sind wir?« fragte sie schläfrig.

»Zu Hause«, sagte Parnell. »Bis zum Frühling.«

Sie stiegen aus dem Lastwagen und schlossen sich dem Zug an, der sich langsam auf das Verwaltungsgebäude zubewegte. Sie waren umgeben von schönen Holzbauten, Blockhäusern und Anbauten, die einmal zu einer weitläufigen Touristenattraktion gehört hatten. Sie drängten sich in einem Tal, umgeben von weiten Bergwäldern. Hier in dieser prachtvollen Wildnis, die vom Krieg unberührt geblieben war, fiel es schwer, sich zu erinnern, daß es einen gegeben hatte. Aber sie standen in einer Schlange um ein Almosen an.

Die Reihe schlängelte sich in das Gebäude und dort in ein großes Büro. Gerade als sie den Raum betraten, entdeckte Parnell die Militärpolizisten. Sie überprüften jede Ausweiskarte in einem Computer, bevor sie Rationenkarten ausgaben; hier, in diesem entlegenen Biwak, hatte die Technologie des 21. Jahrhunderts die Steinzeitexistenz der Nomaden endlich eingeholt.

Parnell schob Julia sofort wieder hinaus. Sie hatte die Militärpolizei nicht gesehen, bemerkte aber seinen Ausdruck. Sie traten zur Seite und ließen die Reihe an sich vorbeischlurfen, dann verließen sie das Haus.

»Wir können doch nicht bis zum Frühling warten«, sagte Parnell.

»Alex – wohin können wir gehen?« fragte Julia mit tonloser Stimme.

Parnell ergriff ihre Hand und drückte sie fest, als wolle er die Verzweiflung hinauspressen, die sie erfaßt hatte.

»Uns passiert nichts«, sagte er hart. »Wir schaffen es, Julia.«

Sie brauchte noch einen Augenblick, dann nickte sie, um zu zeigen, daß es vorüber war. Sie lächelte schwach.

»Wohin gehen wir, Alex?«

»In den Wald«, sagte er. »Wie Hänsel und Gretel.«

25

Parnell tauschte Julias Tragkasten mit fast dem ganzen Inhalt gegen Rationen für fünf Tage, und sie verließen das Biwak in Richtung Norden, am Fluß entlang. Über ihnen nahm ein kalter, schiefergrauer Himmel eine winterliche Tönung an. Es roch nach Schnee; in der Nacht zuvor war er in größerer Höhe gefallen. Sie rochen ihn und trieben den ganzen Tag vorwärts. Spät am Nachmittag begann es zu schneien, große, schwebende Flocken, die zuerst schmolzen und den Boden näßten, dann liegenblieben und eine dünne, fleckige Decke bildeten.

Sie kamen unterwegs an einer Reihe leerer Blockhäuser vorbei, und auch an einem belegten, aus dessen Kamin Rauch aufstieg. Es war eine Bestätigung dessen, was Parnell von Anfang an vermutet hatte – daß VZ 26 anders sei, daß ihre Eigenheiten eine einfallsreichere und unabhängigere Art von Nomaden hervorbringen würde. Er warf sein und Julias Leben für diese eine, letzte Alternative auf die Waagschale –

daß sie irgendwo tief in der Zone Unterschlupf finden und auf irgendeine Weise den Winter überstehen würden. Das Blockhaus mit dem rauchenden Kamin wirkte ermutigend, bewies aber nichts: der Bewohner lebte nicht unbedingt vom Land. Er mochte ein Pendler sein, der hier allein im Wald wohnte, sich aber seine Rationen holte.

Es wurde dunkel – eher ein fließendes, milchweißes Verblassen der Farben. Der fallende Schnee verlor seine ziellose Trägheit, als der Wind zunahm. Sie kamen langsamer voran; das Sinken der Temperaturen kristallisierte den Schnee unter ihren Füßen, und sie fanden kaum Halt. Und seit einigen Kilometern gab es keine Blockhäuser, überhaupt keine Gebäude mehr.

Parnell deutete auf eine von Felsblöcken übersäte Fläche.

»Wir müssen weg von der Straße.«

Die Felsblöcke überragten sie, und in der höhlenähnlichen Vertiefung eines Blocks fanden sie eine trockene, windstille Stelle. Julias Zeltbahn gehörte zu den Dingen, die Parnell nicht hergegeben hatte, und sie bauten das Zelt auf und krochen hinein.

In den frühen Morgenstunden, kurz vor Beginn der Dämmerung, hörte es auf zu schneien. Sie stapften an Verwehungen von einem halben Meter Höhe vorbei, die draußen entstanden waren, und kehrten auf die Straße zurück. Es war unmöglich, ein gleichmäßiges Marschtempo beizubehalten. Der Schnee reduzierte ihre Beweglichkeit auf die Hälfte und verdoppelte die Anstrengungen.

Er wurde noch tiefer, noch schwerer zu durchstapfen, als sie gegen Mittag auf einen schmalen Weg einbogen, der zu einem im Nebel liegenden Grat hinaufführte. Sie erreichten ihn bei Einbruch der Dunkelheit. Der Hang dahinter war zu steil, als daß sie ihn in der Dunkelheit hätten bewältigen können, und sie bauten ihr winziges Zelt im verschneiten Wald auf.

Am Morgen begann es wieder zu schneien. Sie rutschten und stolperten den steilen Hang zu einem schmalen Talboden hinab, kürzten die Straße, um einen undeutlich markierten Pfad zu erreichen. Die Stille war allgegenwärtig.

Parnell drehte sich plötzlich um und deutete auf Spuren im Schnee.

»Was ist das?« fragte Julia.

»Ein Hase.«

Sie starrten die Spuren regungslos an, als seien sie auf ein Kunstwerk gestoßen. Es war der erste Hinweis auf Wild in der ursprünglichen Wildnis, ein Omen für das Überleben.

»Fleisch«, sagte Julia beinahe zerstreut. »Es ist lange her, seit ich Fleisch gegessen habe.«

»Wir brauchen ihn nur zu fangen und zu kochen«, meinte Parnell mit einem schiefen Lächeln.

Julia schloß die Augen und hob für einen Augenblick das Gesicht. Die Schneeflocken schmolzen auf ihren Lippen.

»Ich möchte ein Ragout. Einen Riesentopf Ragout mit Karotten und Zwiebeln und – o Gott!« Sie lachte hilflos und schaute sich betroffen um.

Aber Parnell war mit seinen Gedanken weit entfernt. Er starrte auf die Schneeflächen.

»Emil hat ein großartiges Hasenragout gekocht. ›La Terrine Rouge et Noir‹ in Aix-en-Provence. Ich bin Jahre nicht mehr dort gewesen; mindestens zehn Jahre nicht. Wir haben es mit dem Löffel gegessen und die Teller mit Weißbrot ausgewischt. Emils Sohn brachte den Käse. Brie, Coulommiers oder den Gruyère – den Comté.«

Julia hob angstvoll die Hand, aber Parnell war von der Erinnerung geblendet.

»Emils Frau hat die Gicht«, sagte er lachend. »Er nennt sie die portugiesische Seuche. Am besten gefällt mir Emils Verachtung. Er sagt, einer, der Kaninchen nicht mit Knoblauch kocht, sei ein Barbar, für den es keine Hoffnung gebe. Aber ich habe es auch in der Normandie gegessen, in Butter gebraten, und es war gut. Ich würde aber nie wagen, das Emil zu erzählen, obwohl –«

Dann tauchte er auf, und Verwunderung breitete sich auf seinem Gesicht aus, als die Worte in seinem Inneren nachzuhallen schienen. Es war die erste Rückkehr in die Vergangenheit seit seiner Flucht aus dem Komplex. Er wurde sich Julias besorgter Blicke bewußt, lächelte und sagte: »Ich bin wieder da. Es war ein schöner Ausflug. Vielleicht gehen wir da eines Tages hin.«

»Vielleicht bist du nie dort gewesen, Alex«, sagte sie vorsichtig. »Vielleicht wiederholst du etwas, was du gehört hast.«

»Nein, ich bin dort gewesen«, sagte er. »Es ist der erste Ort, der unschuldig war.«

Sie stapften durch den Talboden hinaus zu dichtbewaldeten Hügeln vor einem steilen Hang, der im düsteren Himmel endete.

»Dahin müssen wir«, sagte Parnell. »Über diesen Grat.«

»Aber was ist da, Alex?«

»Entfernung zwischen uns und dem Biwak«, sagte er. »Was immer wir finden.«

Julia betrachtete den riesigen Wald mit unsicherem Blick. Es war ein Marsch von mindestens zwei Tagen. Und in zwei Tagen würden ihre Rationen fast zu Ende sein.

Sie brauchten zwei Tage und zwei Nächte; den Grat erreichten sie am Morgen danach. Der Himmel war blau, und die grelle Sonne verwandelte den eisverkrusteten Schnee in einen schimmernden Schild. Tief unten lag ein Tal mit steilen, fjordartigen Waldgebieten auf der einen und sanfteren, teilweise bewaldeten Hängen auf der anderen Seite. Ein schmaler, schnellströmender Fluß, der irgendwo in der Gebirgskette zu ihrer Linken entsprang, wand sich ins Tal hinab und schlängelte sich in Serpentinen am Rand des flacheren Hangs entlang. Die Landschaft breitete sich jungfräulich und majestätisch vor ihnen aus. Sie gehörte ihnen; es war ihr Tal, einfach deshalb, weil sie keine Wahl mehr hatten.

Der steile Abstieg zum Talboden nahm Stunden in Anspruch, dann stapften sie mühsam durch tiefen Schnee, an dem schäumenden Fluß entlang, dem Wald und dem verschatteten Unbekannten entgegen. Vom Grat aus hatte es so ausgesehen, als könnten sie mit ein paar Schritten den Talboden durchmessen, aber der Weg wurde zu einer enormen Strapaze durch den brusthohen Schnee.

Schlagartig war der qualvolle Marsch zu Ende. Als sie die weiten Schneefelder durchmessen hatten und auf den Wald zustolperten, sahen sie es durch den Winternebel, klein, stabil und verwittert – ein Blockhaus, leer und der Zeit anheimgegeben. Es stand umringt von kleinen Fichten über dem Fluß, und sie konnten es zuerst gar nicht glauben.

Dann begann Julia mit einem Freudenschrei loszustürmen, rutschte aus, fiel in den Schnee, raffte sich auf und lief lachend zur Tür, wirbelte triumphierend herum.

Parnell hob sie hoch, und sie schlang die Arme um seinen Hals und konnte plötzlich nicht aufhören zu weinen.

Er hielt sie fest und grinste.

»Nicht weinen, du Äffchen. Nicht jetzt.«

»Ich muß jetzt weinen«, schluchzte sie. »Jetzt muß ich weinen.« Parnell preßte sie an sich; sie hatte die Tränen lange zurückgehalten.

Das Schloß an der Tür war so klein, daß sie lachen mußten. Parnell sprengte es mit einem Stein, und sie traten durch Spinngewebe in den einzigen Raum der Hütte. Es gab ein Doppelstockbett, Tisch und Stühle und einen großen, offenen Kamin, neben dem Scheite und Späne gestapelt waren. Die Möbel waren handgemacht, so stabil wie die Hütte selbst. Parnell schaute sich melancholisch um. Die Hütte war für jemanden ein rustikaler Traum gewesen. Dann hatte die Welt aufgehört zu bestehen, und nur der Traum war geblieben.

Julia ging zur Kochnische. Über dem Ausguß gab es eine altmodische Pumpe, daneben Holzschränke. Sie öffnete einen davon, und ihre Augen weiteten sich.

»Alex!«

Der Schrank war zum größten Teil leer, aber in zwei Fächern waren Lebensmittel gestapelt, konzentrierte Nahrung, lösliche Nahrung, genug für Wochen.

Im untersten Fach fand Parnell eine volle Flasche Whisky. Sie holten Gläser, wischten den Staub von Jahren ab, und er füllte sie.

Strahlend sagte Julia: »Worauf wollen wir trinken?«

Die Frage wirkte seltsam beunruhigend. Parnell zögerte, erfüllt von Bildern des Weges, der von seiner Wiedergeburt bis zu diesem Augenblick geführt hatte, und eine betäubende Erkenntnis brach sich in ihm Bahn. Die Feuer, die ihn blindlings den Schatten der Vergangenheit entgegengetrieben hatten, waren niedergebrannt. An ihrer Stelle herrschte äscherne Leere, beinahe Heimweh, nach unwiederbringlich Verlorenem – nach jemandem, von dem er sich für immer getrennt hatte.

»Ich will dir etwas sagen«, meinte er leise. »Wir trinken auf uns. Auf das, was wir sind.«

26

In der winterlichen Festung ihres Urtals begannen sie von neuem. Der Schnee bedeckte den Talboden und die umliegenden Hänge in cremigen Schichten, bog die Äste der Bäume hinab und erhob sich an den Wänden der Hütte bis Schulterhöhe.

In einem Schuppen hinter der Hütte entdeckte Parnell leichtes Werkzeug aus Magnesiumlegierung, Spaten, Fallen, sogar Angelschnüre. Sie erleichterten die Mühe; das Überleben stand nicht mehr in Frage. Mit dem Werkzeug baute Parnell primitive Schneeschuhe. Sie eröffneten ihm eine neue Dimension; er war nicht mehr an die Hütte gebunden.

Wild gab es im Überfluß, und im Fluß schwammen Fische, kleine, wohlschmeckende Forellen. Aber sie mußten vorsichtig sein. Alles, was sie fingen und aßen, mußte mit dem übriggebliebenen Geigerzähler geprüft werden; es war der zweite Gegenstand aus Julias Gepäck, den Parnell nicht umgetauscht hatte. Zweimal entdeckte Parnell schwache Spuren von Radioaktivität in Tieren, die er mit Fallen gefangen hatte. Er wußte, daß sie der Strahlungsdemarkationslinie sehr nah waren, vielleicht auf wenige Kilometer, aber er war bewußt so tief in die Zone vorgestoßen. Je weiter sie vom Biwak der VZ 26 entfernt waren, desto geringer war die Wahrscheinlichkeit einer Berührung mit der Außenwelt.

Der Schnee schrumpfte von den hohen Graten und Hängen, und das Tal tauchte mürrisch und zerzaust aus dem Winter empor. Der Fluß tobte durch sein Bett, und der Boden wurde schlammig. Der Winter wehrte sich mit letzten Schneefällen und eisigem Wind, aber es war zu spät; der Frühling zog durch das Tal, und die feuchte Erde sproß von neuem Wachstum.

Julia sah sie als erste, zwei Punkte auf dem Grat, vor dem Himmel abgezeichnet. Sie war wach geworden, als die Sonne grell durch die Fenster schien, und schläfrig aufgestanden, um den neuen Tag zu betrachten. Dabei hatte sie sie entdeckt, zwei Männer mit Gewehren auf den Schultern, die langsam ins Tal hinabstiegen.

Sie weckte Parnell, und sie zogen sich hastig an. Er holte

die Pistole aus ihrem Versteck im Kamin und prüfte sie, während Julia die Männer beobachtete.

»Militärpolizei«, sagte sie. Parnell trat zu ihr ans Fenster. Die beiden Männer suchten am Fluß nach großen Steinen, um ihn durchqueren zu können. Sie wateten schließlich hindurch und gingen auf die Hütte zu. Parnell zielte mit der Pistole; die Militärpolizisten waren gute Ziele.

»Alex –«

»Ich schieße nicht«, sagte er.

»Vielleicht suchen sie gar nicht nach uns.«

»Vielleicht«, sagte er. Das war ein Grund. Der andere war der, daß die MPs ein Funkgerät bei sich hatten. Es war besser, zu warten und zu sehen, was sie wollten.

Parnell trat hinaus, um sie zu begrüßen, und Julia blieb hinter ihm unter der Tür stehen. Die Militärpolizisten starrten einander überrascht an. Aus dem Kamin drang kein Rauch, und sie hatten erwartet, daß die Hütte leer sein würde.

»Alles Gute zum neuen Jahr«, sagte einer der Militärpolizisten, ein breitschultriger Mann mit roten Backen. »Wie war der Winter?«

»Wir hatten weiße Weihnachten«, sagte Parnell.

Der Sergeant grinste, und sogar sein Begleiter, ein junger Mann, der schüchtern wirkte, lächelte ein wenig.

»Kann ich Ihnen helfen?« fragte Parnell.

Der Sergeant seufzte.

»Na ja, eine Ruhepause und ein kleines Frühstück wären nicht schlecht«, gab er zu. »Wir sind unterwegs, seit es hell ist.«

»Kommen Sie herein«, sagte Parnell ohne Zögern. Er spürte aber, daß der Sergeant schlau und listig war.

Parnell machte Feuer, und der Sergeant bestand darauf, einen Beutel konzentrierten Kaffee beizusteuern. Er war freundlich und gesprächig und hatte einen Vorrat an Neuigkeiten und Gerüchten aus der ›zivilisierten Welt‹, wie er spöttisch sagte. In den Versuchszonen im ganzen Land hatte es Unruhen gegeben; die Lebensmittelknappheit. Aber es schien besser zu werden. Und gute Nachrichten, wenn man ihnen glauben konnte: Wissenschaftler schätzten jetzt, daß binnen zwei Jahren siebzig bis achtzig Prozent des Landes strahlungsfrei sein würden.

Nicht, daß er je diese Gegend verlassen würde, meinte der Sergeant stolz. Er sei hundert Kilometer von hier geboren und aufgewachsen, habe vor dem Krieg als Förster gearbeitet, und seine Vorliebe für die Gegend habe sich als schicksalhaft erwiesen – sie habe ihm das Leben gerettet.

Interessanterweise erinnerte er sich an den Besitzer der Hütte, einen Arzt, der die Medizin gehaßt hatte und bei jeder Gelegenheit aus der Sadt hierher geflüchtet war. Der Doktor hatte die Gegend genau am Tag des Krieges verlassen und war in einen der vielen Nuklearstürme geflogen, die Amerika an jenem Nachmittag verwüsteten.

»Er hätte hier bleiben sollen«, sagte Parnell so scharf, daß ihn der Sergeant betroffen ansah.

Der Sergeant stand auf.

»Ich muß leider Ihre Ausweiskarten verlangen«, sagte er widerwillig, aber er hatte sein Gewehr in die Hand genommen, nicht drohend, doch in Bereitschaft.

Parnell täuschte Belustigung vor.

»Ausweise? Hier draußen?«

»Leider ja«, sagte der Sergeant.

Parnell zuckte die Achseln.

»Wir haben nicht unsere Rationen überzogen, Sergeant, wenn Sie das bedrückt.«

»Kein Mensch schert sich um Rationen«, sagte der Sergeant brüsk. »Wenn Sie Ausweise haben, möchte ich sie sehen.«

»Die haben wir«, sagte Parnell. Er öffnete die Tischschublade und zog die gestohlenen Ausweiskarten heraus.

Der Sergeant prüfte sie gründlich.

»Die Fotos sind schwer zu erkennen«, beklagte er sich. Aber er schwankte; er hatte überhaupt nicht damit gerechnet, daß man Ausweise vorlegen würde.

»Sie sind schwer sauberzuhalten«, sagte Parnell trocken.

Der Sergeant lächelte schwach und gab sie zurück.

»Entschuldigen Sie die Belästigung«, sagte er und zog seinen Mantel an.

»Wen suchen Sie?« fragte Parnell.

»Ach, das ist wieder mal so eine sinnlose Jagd«, erwiderte der Sergeant verlegen. »Die können überall sein, irgendwo im Land, die Leute, die sie suchen. Entschuldigen Sie die Störung.«

»Ihr Kaffee«, sagte Julia und griff nach dem Beutel auf dem Tisch. Es war eine Wochenration.

»Nein, behalten Sie ihn«, sagte der Sergeant. »Das ist das Problem auf dieser Welt. Daß einer die anderen belästigt.«

Als die beiden Männer zu kleinen Pünktchen zusammengeschrumpft waren, sagte Julia: »Alex – haben Sie uns gesucht?«

»Vielleicht.« Er schwieg nachdenklich. »In gewisser Weise hoffe ich es, denn dann sind wir wieder tot.«

Damit war das Thema erledigt. Aber Parnell spürte, daß durch den Besuch der Militärpolizisten mehr als die Unberührtheit des Tals zerstört war. Er löste wieder unbeantwortete Fragen aus und beschwor das Gespenst neuerlichen Flüchtlingsdaseins, das während des Winters so fest zur Ruhe gebettet gewesen war.

In der Nacht war Parnell wieder in dem Zimmer, das Mädchen mit den langen Haaren an sich gepreßt. Die schrillen Töne des Telefons sanken zu Gongschlägen herab, und er richtete sich mit einem Schrei auf. Seine Augen durchbohrten die glühenden Scheite im Kamin und hielten das Bild seiner Traumerinnerung ein paar Sekunden lang fest, so daß er kaum bemerkte, daß Julia neben ihm stand und ihn schüttelte.

»Alex! Was ist denn? Was hast du?«

Parnell starrte sie leer an.

»Nichts. Nichts.«

»Um Himmels willen, Alex, sag es mir. Sag es mir.«

»Es war nur ein Traum. Laß nur. Es war nichts.«

»Wenn es nichts war, dann erzähl es mir. Es hat keinen Sinn, es zu verbergen, Alex. Du machst es nur noch schlimmer.«

»Ich war wieder in diesem Zimmer. Das Mädchen lag neben mir. Ein Telefon läutete. Das war alles.«

Julia zuckte die Achseln und lächelte unsicher.

»Dann war es nichts.«

»Es hat nichts mit Sex zu tun, Julia. Es ist mehr.«

»Es ist nichts«, wiederholte Julia. »Es hat keine Bedeutung, Alex. Such nicht etwas, was nicht da ist.«

»Verdammt noch mal, ich will ja nicht, daß es da ist«, sagte er, mehr zu sich selbst. »Verstehst du? Ich will es gar nicht.«

Aber es war da; mehr als ein Bild. Er spürte wieder das alte Feuer in sich, das verzehrende, masochistische Bedürfnis, die dunklen Wurzeln seiner Vergangenheit zu ergründen. Es war ein Eindringen, das er nicht mehr begrüßte. Er wollte, daß sich das Idyll mit Julia nicht änderte.

Die Wochen vergingen, das Tal blühte, und er verbannte die Vergangenheit hinter einen Vorhang des Willens. Dort lag sie, schlau und geduldig. Er wußte, daß sie wiederkommen würde.

Es geschah auf seltsame und unerwartete Weise. Heimtückisch umging sie die dünne Barriere, die er aufgebaut hatte, und brach in sein Innerstes ein.

Ein Ameisenhaufen. Parnell blieb stehen, um sie zu beobachten, ein so dichtes Gewirr, daß sie wie ein unheimlich pulsierender Organismus erschienen.

Und auf einmal waren die Ameisen verschwunden, und da war etwas anderes.

Ratten. Hunderte und Aberhunderte von Ratten. Eine ruhelose Masse von fleckigem, grauem Fleisch. Sie brodelt und strömt wie ein kochendes Meer, ein Meer von Fleisch in endloser Bewegung. Die Agonie der Enge wächst. Die Ratten vollführen ein Konzert schriller Quietschlaute. Von Stahlwänden eingekerkert, krallen die Ratten in zunehmender Wildheit nach Raum. Sie beginnen einander zu zerreißen, scharfe Zähne und wilde Krallen graben sich in schimmerndes Fell. Blut spritzt aus zerfetztem Fleisch; es läuft durch die Rinnen des Käfigs. Die Ratten wirbeln durcheinander, erfaßt von einem Rausch der Selbstzerstörung. Das Band des Instinkts ist zerrissen. Die Ratten haben den Verstand verloren.

27

Er erzählte Julia nichts davon, aber sein dumpfes Schweigen hing von nun an undurchdringlich zwischen ihnen. Er wartete darauf, daß das vorbeiging, daß der Krebs sich selbst heilte, und wollte die Veränderung, die in ihm vorgegangen war, nicht anerkennen. Er erwachte nun häufig in der Nacht, nicht zum unheimlichen Dunkel des Zimmers mit dem

Mädchen und dem schrillenden Telefon, sondern zu dem unendlich furchtbareren Schrecken der Ratten.

Manchmal schien er ihren riesigen Käfig wie aus der Ferne zu sehen; in anderen, noch trügerischeren Bildern saß er im Käfig gefangen, und die Ratten nagten an seinem Fleisch, ihre durchdringenden Schreie zerschlitzten sein Gehirn wie Messer, ihre grotesken Augen brannten mit fremdartigem und wildem Triumph des Wahnsinns.

Der Krebs breitete sich aus. Die Ratten erfüllten seine Träume und nährten sich wie phantomhafte Raubtiere von seinem Bewußtsein. In Ausbrüchen irrationalen Zorns wies er Julias flehende Bitten ab, ihn mit ihr zu teilen, weil er nicht zugeben wollte, daß es ihn gab. Seine einzige Waffe war Selbsttäuschung.

Und dann, eines Tages, wie durch seine Qualen besänftigt, waren die Ratten verschwunden. Die Liebenden sprachen nicht darüber. Sie nahmen die Fäden in stiller, aufkeimender Freude auf und wurden sich der sanften Wärme des Sommers bewußt, der sich im Tal ausbreitete.

Julia war allein, als sie kamen. Ihr Geplauder drang durch die Bäume, so beiläufig, als komme ein Nachbar zu Besuch. Sie hatte an Stimmen des Windes geglaubt, und plötzlich waren sie da, standen unter der Tür, glühend vor jugendlicher Bösartigkeit, wie fordernde Dämonen. Sie kamen herein und sahen sich gierig um, grinsten breit.

Sie waren zu viert, schlanke, junge Männer mit langen, verfilzten Haaren und ungepflegten Bärten, die ihre stolzen Lumpen wie Uniformen trugen.

»Na, na, na. Was haben wir denn da?« sagte der erste Junge, offenbar der Anführer. Er trug die Schädel mehrerer kleiner Vögel an einer schönen Perlkette. In seinem dichten Haar steckte eine Vogelfeder, und er war mit einer Pistole und zwei verschieden großen Messern bewaffnet. Die anderen, nicht weniger bizarr geschmückt, trugen ein Selbstladegewehr und mehrere Pistolen.

»Das ist aber wirklich ein sehr schöner Kopf«, sagte einer der Fledderer bewundernd. Im selben Augenblick stürmte Julia zur Tür, aber einer der Fledderer packte ihren Arm.

»Na hör mal. Was soll denn das?« sagte der Anführer, als sei er enttäuscht. »Wir kommen eben erst herein, und du willst einfach wegrennen?«

Julia wehrte sich, und der Junge, der sie gepackt hatte, schlug ihr ins Gesicht.

»He, langsam«, sagte der Anführer. »Wir wollen die Ware doch nicht demolieren.«

Julia rang mit dem jungen Mann, bis ein anderer Fledderer, groß und hager, dem einige Zähne fehlten, ihren anderen Arm ergriff und die beiden sie festhielten.

»Wer ist denn noch in der Nähe, hm?« fragte der Anführer. Als er keine Antwort bekam, meinte er beinahe klagend: »Na komm, Liebling, sei nett. Wen hast du noch hier?«

Der große, hagere Junge mit den fehlenden Zähnen griff nach Julias Brust.

»Groß und fest«, erklärte er.

Der Fledderer auf der anderen Seite fuhr mit der Hand sofort über ihr Gesäß.

»Hier auch prima.«

»Was wollt ihr, in Gottes Namen?« fragte Julia.

»Ach, Süße, Süße« murmelte der vierte Fledderer.

»Sagst du uns, was los ist, oder soll ich dich mal ein bißchen tätowieren?« sagte der Anführer, zog sein Messer heraus und ging auf sie zu. Er sah, daß Julia nicht sprechen würde, zuckte die Achseln und steckte das Messer ein. »Billy, du paßt auf.«

Billy, der Fledderer, der Julia nicht festhielt, verzerrte das Gesicht.

»Wieso ich?« empörte er sich. »Logan ist an der Reihe.«

»Du kannst mich«, sagte Logan erbost.

»Was macht denn das aus?« meinte der Anführer lächelnd. »Wir haben ja kaum eine Jungfrau vor uns, oder?« Er fuhr mit der Hand über Julias Bauch. »Du bist doch keine Jungfrau, was?«

»Scheiße«, sagte Billy. Er ging zur Tür. »Aber nicht verunstalten. Ich will sie genauso sauber wie ihr.«

»Mensch, klar«, sagte der Anführer beruhigend. Bill verließ die Hütte, und der Anführer sah Julia neugierig an. »Du bist keine Schreierin«, lobte er. »Das ist gut.«

Er schlenderte durch die Hütte und sah sich alles an.

»Sehr hübsch, Süße. Gefällt mir.«

Er entdeckte die Whiskyflasche – sie war noch immer halb voll – und hob sie triumphierend in die Höhe.

»Meine Herren!«

»Genau das Richtige für mich«, sagte Logan. »He, Barlow, mach mal langsam. Laß was für die Truppe übrig.«

Der Anführer, Barlow, trank noch immer und hob mahnend den Zeigefinger. Er hustete, wurde rot im Gesicht und grinste.

»Mensch! Einmalig!«

»Halt sie fest«, sagte Logan zu dem langen, hageren Burschen, ließ Julia los und ging auf Barlow zu. »Du säufst alles allein!«

Der lange, hagere Junge war abgelenkt, und Julia entwand sich ihm für einen Augenblick, aber er packte sie bei der Schulter und riß sie herum; sie verlor das Gleichgewicht und stürzte zu Boden.

»Du Idiot«, sagte Barlow zu dem gierigen Logan, der die Hand nach der Flasche ausgestreckt hatte.

»Wie viele braucht man denn dazu?« sagte Logan.

»Darauf kommt es nicht an. Wie steht's mit der Disziplin, hm?«

»Laß mich trinken«, sagte Logan ungeduldig.

»Mich auch«, rief der lange, hagere Junge. Er hatte sich auf Julias Rücken gesetzt und hielt ihre Arme fest. »He, Barlow, ich mache die ganze Arbeit. Darf ich als erster?«

Barlow sah ihn an.

»Ich habe keine Organisation«, klagte er. »Du und Logan, ihr seid stillos. Ihr macht mich krank. Und dreh sie um, ja? Schau dir an, was du mit ihrem Kopf machst. Willst du sie umlegen?«

»Laß mich trinken«, sagte Logan, und Barlow gab ihm die Flasche.

Der lange, hagere Bursche drehte Julia mühsam herum und ließ sich auf ihren Bauch nieder.

»Na warte, dich mache ich fertig«, fauchte er sie an.

»Gib mir die Flasche«, sagte Barlow zu Logan und entriß sie ihm. »Mensch, du bist eine Sau.« Er trank und gab ein Signal. »Ausziehen.«

Der lange, hagere Bursche zögerte und wandte sich dann Julia grinsend zu. Er schob ihre Hände unter seine Knie und riß den Reißverschluß ihres Overalls auf, aber Julia konnte plötzlich einen Arm befreien und gab ihm einen Stoß, daß er hinunterkippte.

Logan kniete neben ihr nieder und packte ihren Arm. Er hatte zu lachen begonnen, und Barlow trat hinzu.

»Taylor, du bist ein Trottel«, sagte er verächtlich.

»Das Weibsbild ist wirklich kräftig«, sagte Logan mit widerwilliger Bewunderung. Er preßte beide Knie auf ihr Handgelenk und zog ihr den Overall von den Schultern.

Bevor er ihre Brust völlig entblößen konnte, sagte Barlow: »Hoch mit ihr.«

Die anderen beiden zerrten Julia hoch. Barlow trat vor sie hin und zog den Overall hinunter. Sie stieß mit dem Knie zu, aber Barlow wich aus.

»Immer hübsch ruhig, sonst muß ich schneiden«, sagte er.

»Mensch, hat die Titten«, meinte Logan.

»Erstklassig«, lobte Barlow und zog den Overall ganz hinunter. »Mann, das ist eine Wucht! Wirklich eine Wucht!«

Taylor zwickte sie in die Brust. Julia schrie auf.

»Vorsichtig, Mann«, sagte Barlow. Er sah Julia von oben bis unten an.

»Ich wärme mich bloß auf«, meinte Taylor und zwickte sie in die andere Brust. Julia verbiß den Schmerz.

Barlow begann sich auszuziehen.

»Fesseln.«

»Das ist nicht nötig«, sagte Julia. »Ich wehre mich nicht. Tut, was ihr wollt, aber geht. Bitte.«

»Süße, wir bleiben sowieso nicht lange«, erwiderte Barlow. »Es sind Streifen unterwegs. Aber du kommst mit. Außerdem mag ich es, wenn sie gefesselt sind und sich nicht rühren können. Verstehst du mich?«

Er holte eine der Matratzen und legte sie auf den Boden. Taylor und Logan zogen Stricke aus den Gürteln und fesselten Julias Hände an die Bettpfosten.

»Willst du ihr was in den Mund stecken?« fragte Taylor.

»Nee. Soll sie doch schreien. Ich glaube aber nicht, daß sie schreit.« Er kniete vor ihr nieder und sah sie genüßlich an. Taylor und Logan ergriffen ihre Beine, und Barlow beugte sich vor.

Nebelregen hatte das Gras feucht gemacht. Niedrige Wolken huschten über das Tal. Parnell befand sich darüber, auf dem Hang an der Nordseite. Er war den ganzen Vormittag unterwegs gewesen, um die Fallen zu besuchen, und als er den

Rückzug zur Hütte antrat, regnete es kurz aus einer schwarzen Wolke. Die Luft kühlte ab, das Gras roch süßlich.

Auf halbem Weg den Hang hinunter sah Parnell die Gestalten am Fluß. Namenlose Angst ergriff ihn, und er rannte den Hang hinunter, die Hand an der Pistole in der Overalltasche.

Nun konnte er sie genauer sehen. Sie sprangen nackt im Wasser herum, übermütige Satyre. Julia lag halb im Fluß, den Kopf am Ufer. Sie hatte die Augen geschlossen, ihre Arme waren schlaff ausgestreckt. Ihre Brust war oberflächlich zerschnitten, und ein dünnes Blutrinnsal lief über ihren Brustkorb und ins Wasser.

Die Fledderer ließen sie im Augenblick unbeachtet und tummelten sich wie fröhliche Kinder im Wasser. Einer nach dem anderen nahmen sie Parnell wahr, der mit der Pistole in der Hand herangestürmt kam, und in diesem Augenblick erstarrten sie hilflos, mitten im Fluß in der Falle.

Aber dann kam Parnell am Ufer schwankend zum Stehen und starrte sie leer an. Seine Hand mit der Pistole sank hinab, und Barlow begriff, daß etwas geschehen war, daß Parnell sie nicht mehr sehen konnte. Barlow watete auf das Ufer zu, als Parnell zu schreien begann.

»Nein! Nein! Nein!« Er brüllte es immer wieder. Durch die verzerrenden Prismen seiner Augen waren die Fledderer zu den Ratten geworden. Sie wuchsen in ihrem Stahlkäfig zu ungeheurer Größe, brachen durch die Tür. Plötzlich waren sie im Wasser, mit glänzendem Fell. Er sah eine von ihnen durch das Wasser zum anderen Ufer schwimmen, hob die Waffe und drückte ab. Und Barlow brach zusammen, als ein Geschoß seinen Rücken durchbohrte.

Dann fingen die anderen zu kreischen an und versuchten, aus dem Wasser zu steigen. Parnell hörte ihre Rufe als verzweifeltes Quietschen, sah ihre Zähne zum Angriff gebleckt, und er schoß. Zwei von den Fledderern, Billy und Logan, wurden sofort getroffen. Der andere, Taylor, begann am Ufer hinaufzuklettern, und Parnell stieg gemessenen Schrittes ins Wasser. Taylor sah sich mit einem Angstschrei um; er erreichte das Ufer, rutschte in der Nässe ab und fiel hin. Als er sich umschaute, war Parnell hinter ihm. Er hob verzweifelt die Hand, als die Pistole bellte, und ein Geschoß durchschlug seine Handfläche und fetzte durch ein Auge in sein Gehirn.

Parnell wandte sich den anderen im Fluß zu, Logan und Billy, nasse Ratten, aus denen das Blut rann. Er trat auf sie zu, beobachtete ihre zuckenden Bewegungen im Wasser, schoß sie beide nieder.

Barlow kroch keuchend ins Gras, wie ein amphibisches Wesen, das an Land sterben wollte. Parnell watete durch den Fluß, blieb hinter Barlow stehen, sah Barlows Mund, eine rosige Schnauze, umgeben von Borsten, sich zu einem entsetzlichen, ahnungsvollen Schrei öffnen. Parnell streckte den Arm aus und feuerte in Barlows Rücken.

Er ging langsam weiter, sank betäubt ins Gras. Bilder zuckten wild durch sein Gehirn.

Er befand sich in einem Raum, einem weißgekalkten Labor, angefüllt mit Instrumenten und Computern. Er näherte sich einem großen Käfig voll Ratten. Dann stand er vor dem Käfig, und im Raum breitete sich gräßliche Stille aus. Die Tür war aufgesprengt. Die Ratten waren tot, riesige Haufen zerfetzten Fleisches. Ihr Blut bedeckte den Boden des Käfigs, war an die Wände gespritzt. Aber ihre Augen waren lebendig, glühende Kohlen, aus der Dunkelheit des Todes brennend.

Er verschmolz mit dem Bild von sich selbst, und ein qualvoller Schrei der Reue barst in seiner Kehle.

»Verzeiht mir!«

Das Bild verschwand. Statt dessen sah er den dunklen Raum mit den geöffneten Glastüren. Das Läuten des Telefons durchschnitt die Stille der Nacht. Es steigerte sich zu klirrendem Vibrieren, zu gellendem Kreischen, wurde zum unerträglichen Quietschen der Ratten.

Die alptraumhafte Zeitmaschine tickte weiter. Lichter blinkten. Ein Kaleidoskop grellster Farben pulsierte wild. Die Lichter schwollen zu blendender Helligkeit an, und sein Gehirn fing Feuer.

Er raffte sich aus dem Gras auf, wankte zum schwindenden Kern des blendendweißen Lichts, in den Strudel der atomisierten Sonne.

»Nein!« kreischte er. »Nein! Nein! Nein! Nein!«

Die Sonne wurde weggefegt. Grenzenlose Dunkelheit flutete durch sein Gehirn. Und aus ihren schwarzen, kosmischen

Tiefen leuchtete ein winziges Licht auf. Es wurde größer, eine seltsame, gestaltlose Reihe von Ziffern und Zahlen.

Plötzlich schnurrte sie zusammen, wurde scharf und deutlich: die Codekombination zum Tresor des Archivs im Komplex Eins.

Lange Zeit nahm Parnell Julia neben sich nicht wahr. Endlich drang ihre verzweifelte Stimme zu ihm, und seine Augen blinzelten. Seine Arme umschlangen sie, und sie sanken gemeinsam ins Gras.

»Was war das, Alex? Was war es? Ich muß es wissen!« Sie sah ihn aus erloschenen Augen an. »Alex – sag es mir! Sag es mir!«

Er hörte sie kaum. Er schien erschöpft zu sein. Es war anstrengend, Worte zu finden und sie auszusprechen.

»Es hat keinen Zweck, Julia.« Er holte Atem. »Ich muß zurück.«

28

Korman suchte den milchigen Nachthimmel über dem Heliportdach des Komplexes ab und fand Alpha Centauri, knapp über vier Lichtjahre entfernt, dann Orion mit Beteigeuze. Er drehte sich ungeduldig um und starrte zum fünfzigstenmal in den westlichen Himmel, nicht aus astronomischem Interesse, sondern wegen des Hubschraubers, der bald mit Parnell und Julia an Bord landen mußte.

Es war nichts davon zu sehen. Er schaute auf die Uhr und merkte, daß bis zur vermutlichen Ankunftszeit noch sieben Minuten fehlten. Er zog seine Pfeife heraus, steckte sie in den Mund und trat an die Glaswand. Er dachte an Steiners einmaligen Ausflug in den Bereich des Humors vor einigen Monaten: Vom Heliportdach aus habe man eine herrliche Aussicht auf Washington. Wenn es ein Washington geben würde.

Er schaute wieder auf die Uhr; es waren erst Sekunden vergangen. Wieder dachte er über das Rätsel von Parnells Rückkehr nach. Das Erstaunliche war nicht die Entdeckung, daß Parnell am Leben war, sondern daß er sich gestellt hatte, daß er in der VZ 26 zur Verwaltung gegangen war und gebeten hatte, zum Komplex zurückgebracht zu werden. Weshalb? Der Anruf war erst vor einigen Stunden gekommen, und Korman konnte nicht aufhören, sich die Frage immer wieder zu stellen.

Ein blinkender Punkt erschien am Horizont, und Korman sprang nervös auf. Es war erstaunlich, sich vorzustellen, daß über zehn Monate vergangen waren. Der Hubschrauber schoß vom Himmel hinab, die Landedüsen bremsten den Flug ab, er landete.

»Du Vollidiot«, sagte er laut, eine letzte inoffizielle Bemerkung. »Warum bist du nicht geblieben, wo du warst?«

Es war eine eigenartige Begrüßungszeremonie. Korman versuchte würdigen Ernst zu bewahren, vermochte aber eine alte Zuneigung nicht zu unterdrücken. Parnell, der mit Julia aus der Maschine stieg, erkannte das sofort und konnte ein schwaches Lächeln nicht verbergen.

Es herrschte verlegenes Schweigen, dann sagte Korman: »Ich kann nicht behaupten, daß ich ganz glücklich bin, Sie zu sehen, Alex.«

Parnell löste sich plötzlich von Julia und den beiden Militärpolizisten, die sie auf dem Flug begleitet hatten; seine Stimme war kaum hörbar, als er an Korman vorbeiging: »Ich möchte mit Ihnen reden.« Er blieb stehen, mit dem Rücken zu Korman, und wartete. Korman ging ihm nach und hob fragend den Kopf.

»Ich möchte zweierlei feststellen«, sagte Parnell, und Korman war betroffen von seiner apathischen Stimme. »Erstens: Julia trägt keinerlei Verantwortung für das, was geschehen ist. Zweitens: Ich lasse mich nicht wie ein Tier behandeln. Ich lasse mich nicht in einen Käfig sperren.«

Korman war von Parnells Verwandlung entsetzt. Das innere Feuer war erloschen. Die Worte waren trotz ihrer scheinbaren Kühnheit Boten eines toten Geistes.

»Na, ich sehe, Sie haben sich überhaupt nicht verändert«, sagte Korman mit gespielter Bewunderung.

Parnell winkte ab.

»Es ist wichtig, Korman. Ich will nicht in einem Käfig zugrunde gehen. Verstehen Sie?«

Plötzlich verstand Korman alles. Er war wie betäubt. Seine Stimme flüsterte entsetzt: »Sie sind zu einer zweiten Behandlung zurückgekommen –«

»Diese beiden Dinge verlange ich von Ihnen, Korman«, sagte Parnell störrisch.

Korman versuchte beruhigend zu lächeln.

»Ich werde tun, was ich kann.«

Parnell ergriff seinen Arm.

»Sie müssen mehr tun.«

»Alex«, sagte Korman stockend, »Sie haben mich nicht gerade in einer starken Position zurückgelassen.« Er nickte. »Also gut. Ich glaube, sie machen da mit.«

»Und Julia?«

»Julia interessiert sie nicht.«

»Gut«, sagte Parnell. Er ließ Korman los und schaute sich unsicher um. »Ich will sie danach nicht mehr sehen.«

Korman sah ihn gequält an.

»Sind Sie sicher, Alex? Es dauert ein paar Tage.«

»Ich bin sicher. Es ist nicht nötig, daß sie noch mehr durchmachen muß.«

»Sie wollte nicht zurück«, sagte Korman.

»Nein.«

»Warum haben Sie es getan, Alex?« sagte Korman plötzlich. »Ist es so schlimm?«

Parnell atmete tief ein.

»Ich bin ausgelöscht.«

Korman war sichtlich erschüttert. Er sog einen Augenblick an seiner Pfeife.

»Wir sprechen später darüber.«

Zu Kormans Überraschung entsprachen Hayley und sogar General Laird Parnells Bitte ohne Widerspruch; es würde diese letzten Tage keine Gitter, kein Gefängnisdasein geben.

Laird hatte die Achseln gezuckt.

»Was für eine Rolle spielt das noch? Eine akademische Frage.« Der Kampf war beendet, die Revolte von selbst erstickt, vorbei. Es war dieselbe Logik, die es Korman erlaubt hatte, Parnell und Julia allein abzuholen.

Parnells letzte Leidenschaft, nicht angekettet zu werden, erwies sich als ebenso nebensächlich. Er wurde in einem bequemen Zimmer in der Nähe von Kormans Büro untergebracht und konnte sich in der Medizinischen Abteilung frei bewegen, aber er verließ sein Zimmer nie. Hayley, der ihn am ersten Tag öfter über den Monitor beobachtete, stimmte mit Korman darin überein, daß der Zerfall, wenngleich erkennbar, unauffällig vor sich ging; es bestand kaum Gefahr, daß Parnell vor der Behandlung zusammenbrechen würde.

Am Abend, vierundzwanzig Stunden nach Parnells Ankunft, machte Korman seine erste Visite.

»Wann machen Sie es?« fragte Parnell sofort, als Korman eintrat.

»Übermorgen«, sagte Korman. Parnell nickte. »Alex – wie schlimm ist es?«

»Ich zerfalle«, stieß Parnell hervor. »Was gibt es da noch zu sagen?«

»Wollen Sie es mir erzählen?«

Parnell schien vor der Frage zurückzuweichen. Er war schlagartig unruhig. Schließlich flüsterte er: »Ratten. Ich sehe sie die ganze Zeit. Sie zerfleischen mich.«

Korman war verwirrt. Es war nicht das, was er erwartet hatte

»Wie lange geht das schon?«

»Die letzten Wochen. Was bedeutet es?« fragte er mit schwankender Stimme.

Korman schüttelte langsam den Kopf.

»Ich weiß es nicht.«

»Es ist mir egal, was es bedeutet!« stieß Parnell hervor. »Ich muß sie loswerden!«

Korman wurde von Mitgefühl überwältigt. Er war für dieses Enfant terrible Hebamme, Pate und Bruder gewesen. Er hatte in Parnell ein Symbol für den unbezähmbaren Willen des Menschen gefunden, sich durchzusetzen. Nun mußte er bei der Zerstörung dieses Symbols mitwirken. Und wo stand er dann? Wo standen sie alle?

Parnell starrte vor sich hin.

»Korman – könnten Sie es früher machen? Morgen schon?«

Korman schwieg geraume Zeit.

»Ja, ich glaube. Morgen, ziemlich spät.«

Parnell sank erleichtert in sich zusammen.

»Die Nächte sind am schlimmsten.«

»Alex – Julia bittet immer wieder darum, Sie sehen zu dürfen.«

»Nein!« sagte Parnell und sprang auf. »Ich kann sie nicht sehen! Sie wissen, daß ich sie nicht sehen kann!«

»Gut, Alex«, sagte Korman beruhigend.

»Es ist besser so«, meinte Parnell ruhiger.

»Wahrscheinlich.«

»Doktor –« Parnell zerrte nervös an seinen Fingern. »Werde ich sie wiedersehen? Wenn ich durchkomme?«

»Hören Sie zu, Alex«, sagte Korman. »Sie schaffen es. Ich hatte Gelegenheit, daran zu arbeiten. So gefährlich ist es nicht. Sie schaffen es, und Sie sehen Julia wieder.«

Parnell hob langsam den Kopf.

»Dann ist mein einziges Problem, daß ich sie nicht kennen werde.«

»Alex – Alex – was soll ich sagen?« Kormans Stimme erstarb. Er stand auf und schaute sich verzweifelt um, als suche er nach einer verlorenen Lösung, und in diesem letzten, absurden Augenblick brach etwas in ihm, und er schrie: »Alex! O Gott, Alex, ich muß es Ihnen sagen: Julia ist Ihre Frau!«

Parnell starrte ihn mit leblosen Augen an und flüsterte: »Julia?«

»Begreifen Sie denn nicht? Sie wollte in Ihrer Nähe sein. Wir haben ihr Gesicht verändert. Wir haben sie operiert, damit sie in Ihrer Nähe sein konnte. Es war gefährlich, aber ich dachte, sie könnte Ihnen helfen. Sie gab vor, eine Durchgangspatientin zu sein. Aber sie konnte es Ihnen nicht sagen, weil Sie vielleicht rückfällig geworden wären. Jetzt spielt es keine Rolle mehr. Deshalb sage ich es Ihnen. Das ist mein Geschenk, Alex. Es gehört Ihnen allein. Bis morgen früh, bis ich es wieder auslösche.«

Es war wie ein Traum in einem Traum. Parnell bewegte sich ohne körperliche Empfindung durch die stillen, schimmernden Korridore. Der Wind der Allwissenheit wehte in seinem Rücken. Er befand sich auf einem vorbestimmten, computerberechneten Kurs, der Tage zuvor, in jenem zerschmetternden Augenblick im Tal, gelegt worden war. Da hatte er gewußt, was getan werden mußte, was er opfern, was er gewinnen würde. Und es war auf irgendeine Weise ein einfacher Handel, weil er schon immer vorherbestimmt gewesen war. Nicht einmal Kormans betäubende Eröffnung konnte daran etwas ändern; nicht einmal die Erkenntnis, daß Julia und das Mädchen mit den langen Haaren ein und dieselbe waren.

Kormans Ausweisplakette befand sich in seinem Overall.

Er hatte darauf gesetzt, daß niemand auf den Gedanken kommen würde, ihn bei seiner Rückkehr zu durchsuchen. Es war das mechanische Verbindungsglied mit seinem schicksalhaften Weg. Er hatte sie die ganzen Monate hindurch aufgehoben, und unbewußt auf diesen Augenblick gewartet. Das Theater der Resignation und Unterwürfigkeit war vorbei; er war auf seinem Weg.

Er verließ den Lift im 21. Geschoß und ging durch verlassene Korridore zu den Archiven. Sie waren schon geschlossen, und er schob Kormans Plakette in den Status-I-Privateingang zum Tresor. Die Lampen in dem schmalen Innengang leuchteten auf, als die Tür zur Seite glitt. Endlich stand er vor dem Eingang zum Tresor und seiner leuchtenden Kombinationstafel.

Die Kobination war in sein Gehirn eingebrannt. Er programmierte die Folgen mit unbeirrbarer Geschwindigkeit ein, und die Tür zum Tresor öffnete sich summend. Sie schloß sich hinter ihm; er befand sich in einem kleinen, kreisrunden Raum mit hoher Kuppel. Karteikästen standen an den Wänden, und es gab einige Projektionszellen.

Unbewußt fand er sich vor einer Säule mit Schubladen, auf denen ›Genesis‹ stand. Das Wort brach durch sein Bewußtsein und brachte seine ungeheure Bedeutung erneut zur Geltung, obwohl er noch immer nicht wußte, warum. Die ersten beiden Schubladen waren mit Dokumenten gefüllt, und er überging sie ungeduldig. Es waren lose Fäden. Er wußte, daß er nach mehr suchte, nach einem Schlüssel, der das Rätsel ganz auflöste.

Sie lag in der untersten Lade, eine Film-Text-Kapsel im olivgrünen Behälter. In dicken, schwarzen Lettern stand darauf: ›Bericht der Lassen-Kommission‹. Darunter, in kleineren Buchstaben: ›Für den Präsidenten – persönlich‹.

Natürlich, dachte er, so als sei er nur vergeßlich gewesen. Wie albern. Warum hatte er so lange gebraucht zu diesem Augenblick? Die Lassen-Kommission. Tom Lassen und – Er starrte verwundert vor sich hin. So weit ging es. Auf irgendeine Weise kannte er den Bericht vom Anfang bis zum Ende – aber über ›Tom Lassen‹ kam er nicht hinaus.

Es erschien alles so klar und einfach, und doch wußte er nichts. Seine Hände zitterten. Er ließ sich in einer der Zellen nieder. Eine erdrückende Düsterkeit hatte seinen Eifer überwältigt. Er wußte, daß er am Rand eines Abgrunds stand, über den hinaus er nie würde aufhören können abzustürzen. Es blieb nur noch, sich den letzten Stoß zu geben.

Er schob die Filmkapsel in das Gerät; der Bildschirm vor ihm leuchtete auf.

Menschen

Die Welt ist hoffnungslos mit Menschen überfüllt. Die Straßen der Großstädte sind überquellende Ströme von Menschen. Die Städte selbst haben längst jede Identität verloren. Sie sind wuchernde Krebsgeschwülste, ungeheure, formlose Megalopoliten, durchtränkt von Leben, die unkontrollierbar ihren Gifthauch mit Milliarden Fühlern über die Erde verbreiten. Sie saugen mit orgiastischen Atemzügen Raum an sich; Fleisch ergießt sich in unfaßbaren Fluten aus den Lenden der Menschheit.

Im Kern der Megalopolis sind die Straßen erschreckend vollgestopft; es fällt oft schwer, von einer Seite zur anderen zu gelangen. Fahrzeugverkehr gibt es nicht mehr, nur die mächtigen Ströme Fleisch. Der öffentliche Transport unter der Erde ist hoffnungslos verkeilt; aus Zehntausenden von unterirdischen Ein- und Ausgängen erstrecken sich zerquetschte Schlangen von Menschen wie grobgewobener Hanf in endloser Länge.

Alle Einrichtungen, öffentlich und privat, sind vierundzwanzig Stunden am Tag in Betrieb. Die Maschine der Zivilisation kann nicht mehr nach dem Wunsch der Bevölkerung funktionieren; sie muß Tag und Nacht pulsieren, eine irregewordene Maschine auf der Suche nach Bedürfnissen, die sie niemals zu befriedigen vermag. Nichts schließt jemals, weder Fabriken noch Büros noch Einkaufszentren. Schulen sind in den dunkelsten Nachtstunden geöffnet, die Klassenzimmer hell beleuchtet, Kinder über Pulte gebeugt, während Millionen anderer in geordneten Reihen darauf warten, sie abzulösen. Für alles gibt es endlose Reihen: Die Einkaufszentren sind zu allen Stunden überfüllt, die Lebensmittelmärkte Brennpunkte wachsender Panik, Unterhaltungszentren erzeugen Sturmläufe – wenn eine Menschenmenge bei Beginn der Morgendämmerung in ein Theater drängt; ungeheure Menschenmassen auf der sinnlosen Suche nach einem Augen-

blick ländlicher Erholung besetzen jeden Grashalm in den wenigen verbliebenen Parks.

Anarchie und Panik sind Zwillingsungeheuer der überfluteten Gesellschaft. Sie nähren sich gegenseitig wie erkrankte Zellen, verschmelzen, um eine ununterdrückbare Psyche der Verzweiflung zu bilden. Der Druck nimmt zu. Der Lebensraum drängt sich immer mehr zusammen, wird immer stärker komprimiert. Unruhen breiten sich weltweit aus. Das Gift greift um sich. Geisteskrankheit ist ein erstaunlich allgemeines Leiden.

Dem wachsenden Debakel wohnt eine Ironie inne: Die Landfläche der Erde ist zum größten Teil unbewohnt. Sieben Achtel des Landes dienen der Erzeugung von Nahrung und der Gewinnung von Rohstoffen. Trotzdem kann die Nahrungsproduktion nicht mit der Bevölkerungszunahme Schritt halten; Rohstoffe nicht mit dem Bedarf. Der Meeresgrund wird bestellt, hat sich aber als unzureichend erwiesen. Der gigantische Appetit des Menschen nach Überleben verschlingt seine Rohstoffquellen. Das schwankende Gleichgewicht der Jahre neigt sich der Katastrophe zu. Und der Wahnsinn wuchert.

Parnell hörte sich in der Projektionszelle des Tresors sagen: »Er hat uns eingeholt.« Er schaute sich, plötzlich von Verwirrung zerrissen, in dem Kuppelraum um. Die Stimme gehörte ihm, und doch schien sie von weit her zu kommen.

Mehr noch, er konnte die Gegenwart der Ratten spüren.

Er schloß die Augen und fühlte, wie er durch die Leere stürzte. In den Bottich der Erinnerung.

Er steht im Labor. Hier ist die äußerste Torheit des Menschen, seine unbeschränkte Fortpflanzung, mit den Ratten säuberlich durchprogrammiert. Hier hat Lassen, Dutzende von Jahren vorher, Alarm geschlagen.

Es ist kein Alarm mehr. Es ist ein fruchtbares Gewächs in nicht mehr umkehrbarem Wachstum. Und trotzdem schreit ein großer Chor von Stimmen überrascht auf. Was für ein Recht haben sie, erstaunt zu sein? Die Ratten haben es ihnen von Anfang an klargemacht.

Er steht vor dem Käfig. Er beobachtet, wie die Ratten einander zerfleischen. Er hört das Echo seiner eigenen

Stimme im leeren Labor: »Was für ein Recht haben sie, erstaunt zu sein?«

Die Kabinettssitzung. Wilde, gequälte Stimmen schreien auf. Lassen hat es ihnen eben mitgeteilt.

»Aber das ist unmöglich! Was Sie da sagen, ist unmöglich!«

»Das muß ein Irrtum sein! Ein entsetzlicher Irrtum!«

Jemand mit einer rührend dünnen Stimme sagt: »Es kann nicht zu spät sein! Was soll dieser Wahnsinn?«

Seltsame Wortwahl; er spürt das hohle, bittere Lachen in sich. Er sitzt rechts neben Lassen; Lassens Stellvertreter. Er erinnert sich. Er hört stumm zu. Oben am Konferenztisch der Präsident, leer, ausgesaugt vom Vorauswissen; er rückt seine Brille zurecht.

»Es muß doch etwas geben, was wir tun können?« schreit jemand.

»Richtig!«

»Wir können etwas tun! Wir können sofort mit der Evakuierung beginnen!« Ein verzweifelt falscher Optimismus, unsinnig hinausgebrüllt. »Wir können das aufhalten, bevor es sich weiter ausbreitet!«

»Sofortige erzwungene Evakuierung! Ausgezeichnet! Logistisch gesehen, wird das ein Schlamassel, aber wir können es schaffen!« Holliman, Planungsminister. Er faßt es persönlich auf. Holliman, Holliman, du hast die Massen nicht gezeugt.

»Aber wie ernähren wir sie? Und wohin schicken wir sie?«

»Genau. Wir können sie nicht ernähren. Und wie verteilen wir -zig Millionen Menschen auf das freie Land? Wovon leben sie?«

»Es geht sowieso nicht! Alle Umverteilungsprojekte sind gescheitert. Sie lassen sich nicht entwurzeln. Es wird Unruhen geben. Wir können sie nicht kontrollieren. Wie sollen wir sie kontrollieren, sobald eine Panik ausbricht?«

»Aber es gibt keine Alternative! Seht ihr denn das nicht? Wir müssen sie aus den Megalops herauszwingen. Wir müssen sie zwingen, Lebensraum zu akzeptieren!«

»Aber wir können sie nicht ernähren! Oder unterbringen! Was nützt das alles?« Wieder am Anfang.

»*Ruhe*«, *sagt Lassen. Es wird still im Saal.* »*Begreift denn niemand? Es ist zu spät.*«

Lassen begreift. In wenigen Minuten wird die Sitzung beendet sein, er wird zusammenbrechen und im Korridor sterben.

»*Weshalb ist es zu spät? Sagen Sie mir das!*« *Speichel rinnt über Hollimans Kinn.* »*Sagen Sie mir, weshalb es zu spät ist!*«

Lassen seufzt.

»*Herr Minister – die genetische Struktur der Menschheit ist durch den unerträglichen Druck der Übervölkerung verändert worden. Das nenne ich schon seit geraumer Zeit den Kompressionsfaktor. Eine psychologische Mutation findet statt.*«

»*O Gott.*« *Eine leise Stimme, erstickt von Angst. Bennett, Außenminister.*

»*Es kann nicht wahr sein!*«

»*Aber diese Mutation – sie braucht doch Zeit! Wir haben also sicher Gelegenheit, der Krankheit Einhalt zu gebieten.*«

»*Die Zeit ist kein Faktor. Wir haben den Umkehrpunkt schon überschritten. Wir haben es nicht mit einer Krankheit zu tun, die ihren Weg geht und dann vererbt. Wir stehen vor einer Transmutation, einer virulenten Art geistigen Ungleichgewichts, herbeigeführt von der Unfähigkeit des Menschen, sich an seine Umwelt anzupassen – an die Übervölkerung. Das Ergebnis ist eine Neuordnung der artbestimmenden Chromosen.*« *Seine eigene Stimme, dumpf, von müder Geduld. Lassen, neben ihm, reibt sich die trüben Augen.*

Jemand springt auf und hämmert auf den Tisch.

»*Wollen Sie damit sagen, daß alle Männer, Frauen und Kinder auf der Erde geisteskrank sind? Wollen Sie behaupten, alle hier im Raum seien geisteskrank?*«

»*Nein*«, *sagt er ruhig.* »*Ich sage, daß wir in einem Prozeß begriffen sind, ein genetisches Merkmal zu erwerben – unfaßbar beschleunigt, aber in der biologischen Zusammensetzung nicht unterschieden vom Erwerb der Vernunft durch den Menschen zu Beginn seiner Entwicklung. Mit anderen Worten, der Mensch hat eine Umwelt geschaffen, der er sich nicht mehr anpassen kann und gegen die er sich nun genetisch auflehnt. Diese Auflehnung, diese Rebellion ist das, was wir Geisteskrankheit nennen. Wir besitzen jetzt unwiderleg-*

179

bare Beweise dafür, daß dieses Merkmal der Geisteskrankheit an die Neugeborenen weitervererbt wird.«

Bestürzt von der Ungeheuerlichkeit seines eigenen Gedankens sagt jemand: »Dann müssen wir – auf irgendeine Weise – die Erbträger beseitigen –« Die Augen des Mannes blitzen in biblischem Eifer.

»Sie begreifen nicht, Sir«, sagt Lassen tonlos. »Wir sind die Erbträger. Wir alle. Die Menschheit. Die Krankheit heißt Übervölkerung.«

Wieder Stille.

Bennett fragt: »Was wird geschehen? Wieviel Zeit haben wir?«

»Binnen zwei Generationen werden neunzig Prozent der Bevölkerung betroffen sein.«

»Und danach?«

»Wird es schnell zu Ende gehen. Ohne die Gabe der Vernunft wird der Mensch seinen Platz bei den Tieren einnehmen. Aber für die Anpassung wird keine Zeit bleiben. Er wird nicht im Wettkampf um die Nahrung mithalten können. Also wird er aussterben.« Lassens Stimme erstirbt. Er hebt die gelähmte Hand an die Schläfe.

»Aussterben?« Das Wort wird unschuldig wiederholt, viel zu entsetzlich, als daß es Sinn bekäme.

Dann Stille. Furchtbare Stille, und endlich allgemeine Verwirrung.

»Aber es muß doch etwas geben!«

»Irgend etwas!«

»Irgend etwas!«

Die Sitzung gerät in wilde Unordnung, ein Mikrokosmos der Vielheit. Starke Männer, Machthaber, hilflos, in der Falle von Mensch, Gott und Natur. Und nirgends Hilfe.

Aber warum sind sie erstaunt? Die Ratten haben es uns verraten. Die Lemminge. Die Natur schlägt ihren einfachen Alarm: Unter solchen Bedingungen konnte sie die Gattung nicht am Leben erhalten. Deshalb muß die Gattung sterben. Und wir sind überrascht.

Die Sitzung ist beendet. Das Kabinett ist pflichtgemäß informiert. Das entlastet den Präsidenten nicht von seiner Verantwortung; er weiß es seit vielen Monaten. Er hat während der ganzen Sitzung geschwiegen; er schweigt jetzt.

Sie treten in den Korridor hinaus. Dort greift Lassens

knochige Hand in die Luft, und seine Augen drehen sich im Tod nach oben. Alter und Krankheit und unerträgliche Lasten der Qual haben ihn zerdrückt.

Er sieht Lassen stürzen. Er fängt ihn auf und denkt: Lassen ist entflohen. Die entsetzten Augen des Präsidenten begegnen den seinen. In ihnen sieht er denselben Neid.

Im Ovalen Zimmer findet die düstere Ernennung statt. Er ist der neue wissenschaftliche Chefberater des Präsidenten der Vereinigten Staaten. Einer sterbenden Nation einer sterbenden Menschheit.

Verwirrende Dunkelheit. Feuchter Wind faucht vorbei. Zeit. Die Flut der Erinnerung quillt aus der Dunkelheit:

Das Büro des Präsidenten. Bennett ist zugegen. Und Tabor, der Verteidigungsminister. Nur sie vier. Warum? Der Präsident läßt die entsetzliche Belastung erkennen. Seine Augen sind gequälte Fragezeichen. Er hält einen in Leder gebundenen Bericht in den Händen. Warum ist er vertraut?

Der Präsident wendet sich an ihn.

»Doktor, einige Wochen vor seinem Tod hat mich Doktor Lassen gebeten, etwas zu lesen.«

In ihm krampft sich etwas zusammen. Er starrt den Bericht entsetzt an. Seine Stimme protestiert instinktiv: »Er sollte nie hergezeigt werden!«

»Doktor Lassen meinte, er sehe keine andere Wahl.«

»Das ist nicht mehr als eine Hypothese!« Er sieht sich hilfesuchend um. Bennett starrt auf den Boden, Tabor sieht zum Fenster hinaus.

Er fährt herum.

»Sir, das war nicht einer der von unserem Institut eingereichten Notfallpläne! Er war nie für den Umlauf gedacht! Ich habe von Doktor Lassen verlangt, daß er zurückgezogen wird!«

Sein heftiger Protest ruft erstaunte Reaktionen hervor. Der Präsident erstarrt, rügt ihn mit einem Blick und faucht: »Sie haben kein Recht, irgend etwas zurückzuhalten, Doktor! Wir stehen vor der letzten Katastrophe! Ich kann mir keine Gedanken über Ihr Schuldbewußtsein machen. Ich muß versuchen, aus der Asche noch etwas zu retten.«

»Aber es funktioniert vielleicht nicht! Es gibt keine Garantie. Es ist nicht mehr als eine Hypothese. Wir können

nicht fast die ganze Menschheit im Namen einer unbewiesenen Theorie vernichten! Etwas, von dem man vielleicht erst nach fünfundzwanzig oder dreißig Jahren weiß, daß es falsch ist!«

Der Präsident ballt die Fäuste.

»Was wir nicht zulassen können, ist, daß die ganze Menschheit zu bestehen aufhört! Zu diesen Schlüssen sind Sie und Lassen gekommen, nicht wahr? Daß die Menschheit binnen drei Generationen zum Aussterben verurteilt ist?« Seine Stimme schwankt. Er nimmt die Brille ab, hält sie ans Licht, gewinnt Zeit, fährt mit erschöpfter Stimme fort: »Wir müssen das Risiko eingehen. Es gibt keine andere Lösung.«

Er weiß, daß das wahr ist. Wie er es im Augenblick des schrecklichen Einfalls wußte. Er spürt, wie etwas in seiner Kehle kriecht, an seinen Eingeweiden schnuppert.

Bennett tauscht mit dem Präsidenten einen unsicheren Blick. Er nimmt mit erzwungener Ruhe den Faden auf.

»Doktor – wir sind der Meinung, daß Sie es wissen sollten. Der Plan ist erweitert worden. Man ist zu einer internationalen Übereinkunft gelangt –«

Tabor sagt – und die Worte sind nicht gerade historisch: »Wir sitzen alle im selben Boot.«

Seine Augen weiten sich.

»Ich verstehe nicht«, sagt er, aber er versteht.

Kleine, schneidende Schmerzen fluten in ihm hoch. Die Ratten schärfen ihre Zähne. Die Ratten begreifen auch.

»Ein Krieg«, sagt der pragmatische Bennett. »Es ist besser, als wenn wir uns selbst zerstören.«

Sein ungläubiges Gesicht verzerrt sich zu einem fassungslosen Lächeln. Er flüstert: »Übereinkunft.«

Eine logische Lösung verlangt Selbstzerstörung, indem jedes Land pflichtgemäß seine eigenen flutenden Massen dezimiert. Aber die Alchimisten der Verwaltung, die Staatsmänner der Welt, haben eine Methode gefunden, mit der sich Gold aus dem Staub der Geschichte schlagen läßt.

Eine ›Übereinkunft‹ ist getroffen worden, ein Gentlemen's Agreement zwischen den Großmächten der Erde, wonach sich jede Seite ernsthaft und insgeheim verpflichtet, die andere zu vernichten.

Bennett und Tabor erläutern abwechselnd: Die nächsten Monate werden eine Zeit wachsender internationaler Span-

nungen und Krisen bringen – eine Atmosphäre krasser Feindseligkeit, die Gut und Böse, Freund und Feind, Held und Schurken polarisiert.

Das ist nötig – wie der ›Krieg‹ selbst notwendig ist. Der Mensch lehnt die Selbstzerstörung ab – selbst im Namen einer so edlen Sache wie des Fortbestands der Gattung; aber er akzeptiert den Krieg; er umfaßt den Krieg mit Leidenschaft.

So wird, durch einfachen Tausch der Verpflichtung, dem künftigen Patriotismus gedient, der zukünftigen Sache, die künftige Katastrophe wird abgemildert. Und der winzige Prozentsatz der Menschheit, der das Unheil vielleicht übersteht, wird, verbunden in nationalistischer Rechtgläubigkeit, aus dem unvermeidlichen Chaos Ordnung schaffen.

Bennett und Tabor verstummen. So viel für die unmittelbare Nachkriegswelt. Die größere Frage, das Überleben der Menschheit, liegt nicht in politischen Händen.

Er sieht sich langsam im Raum um, und es überfällt ihn wie eine Explosion: Er ist Teil der Verschwörung geworden. Seine Massenvernichtungslösung hat ihm, geschickt verfeinert, die Mitgliedschaft gebracht. Er, der Präsident, Bennett und Tabor. Sie sind die Wächter des letzten Geheimnisses der Nation – eine ›Übereinkunft‹, ein letzter Schnörkel des menschlichen Genies. Es ist ein Geheimnis, das nie mitgeteilt werden kann. Das zu tun, würde bedeuten, das moralische Fundament jeder künftigen Gesellschaft zu zerstören.

Er betrachtet sie der Reihe nach. Auf ihren Schultern, auf seinen Schultern liegt die ungeheure Last der Menschheit. In Tabors Kismet-Boot, einer Arche ohne Ararat, sind sie auf den Styx hinausgefahren; kein Fluß mehr, sondern ein Meer von Schuld. Er spürt eine Wahrheit: Das Boot wird untergehen.

Dunkelheit. Er ist im Zimmer. Die weißen Vorhänge bauschen sich im Wind. Hinter den Glastüren die Straßenlaterne. Dann die Bäume, voll belaubt und grün, raschelnd. Er blickt vorbei am Messinggestell des Betts und spürt sie neben sich. Ihre Körper haben keine Wärme.

Hier ist das Problem: Wir sind die Opfer einer bestimmten genetischen Verwandlung aufgrund des unerträglichen Drucks der Übervölkerung. Mutationen sind, gewöhnlich, subtile Übergänge in der Evolution, wenn die Natur die Gattungen für neue Ziele formt, aber in diesem Fall hat der Mensch die Natur – und sich – vergewaltigt und eine phänomenale Mutationsbeschleunigung hervorgerufen – Lassens berühmten Kompressionsfaktor.

Hier ist die Lösung: Wir legen vorsichtig Gummihandschuhe an und sollen chirurgisch die Ursache der Krankheit entfernen, indem wir den Patienten völlig zerschneiden und die betroffenen Teile, zusammen mit beinahe dem ganzen Rest des Patienten, wegwerfen. Was bleibt, ein winziger, betäubter Organismus, verfällt in traumatischen Schock. Isoliert und allein, dem Diktat des zerteilten Ganzen nicht mehr unterworfen, ringt die Waise instinktiv nach Atem. Dieser Atemzug, um zu überleben, kehrt den Mutationsprozeß um. Die Natur erhält einen dringenden Ruf – der Zoll ist ungeheuerlich, aber Geschäft ist Geschäft: Noch nicht ins Irrenhaus abtransportieren! Die Marktlage hat sich geändert!

O Gott. Was, zum Teufel, willst du jetzt?

Ich weiß es nicht. Ich muß es mir überlegen.

O Gott, du bist ein Quälgeist.

Das Telefon läutet. Die Ratten hören es. Sie beginnen freudig zu springen. Ihre Krallen schneiden in sein Inneres. Er spürt, wie das Blut läuft. Neben ihm klammert sie sich fester an seinen Körper. Das Schrillen des Telefons zerreißt die Nacht. Die Vorhänge bauschen sich im Wind. Die Bäume rascheln ihre letzte Botschaft. Er nimmt den Hörer ab.

Gott ist am Apparat. Erlösung wartet. Kommt alle, ihr Auserwählten. Der Sicherheitsoffizier sagt: »Sir – Alarmstufe Gelb ist jetzt in Kraft. Bitte, melden Sie sich am Westflügel, Eingang einundvierzig, vor sechs Uhr zur Einlaßprozedur –«

Er legt auf, starrt betäubt durch Prismen der Angst. Er spürt, wie etwas Scharfes sich in sein Gehirn krallt. Der Schmerz spritzt aus seinem Mund.

Julia hebt den Kopf, dreht ihn schnell, und ihr langes Haar zerfließt. Er sieht sie durch die schizophrene Linse von Vergangenheit und Gegenwart, jemand, der in der Erinnerung verloren ist, jemand vor der Erinnerung, und doch

Julia. Die beiden Bilder lösen sich auf, die Züge verschmelzen.

Die Ratten nagen mit dolchartigen Klauen an seinem Gehirn; ein erstickter Schrei dringt aus seiner Kehle. Sie starrt ihn an, sieht, wie der Wahnsinn in seine Augen schießt. Ihre Hand schließt sich um die seine.

Das riesige, noch unfertige unterirdische Areal ist überfüllt. In den 27 Stockwerken befinden sich die sorgfältig ausgewählten Tausende aus der Staatsverwaltung, aus der Industrie, dem Militär, den akademischen Berufen, den Künsten. Sie sind die Elite, die Prätorianergarde einer neuen Welt, die nur noch Sekunden vor ihrer vulkanartigen Geburt steht. Ausgewählt von einer Präsidentenkommission, aus allen Teilen des Landes in die Hauptstadt eingeladen, um an einer fiktiven ›Konferenz der Nationalen Zukunft‹ teilzunehmen, wird die historische Versammlung plötzlich über den Alarm informiert. Die angespannte internationale Lage ist anscheinend schlagartig katastrophal verschlechtert. Angst breitet sich in den Etagen der unterirdischen Stadt aus.

Völlig ahnungslos von den sich überstürzenden Ereignissen, in Wahnsinn versunken und glücklich sind die abgesonderten Tausende in der 27. Unteretage. Obwohl ihre Brillanz befleckt ist, ihre Gehirne vom Kompressionsfaktor zerstückelt sind, bilden auch sie trotzdem eine Elite; eine künftige Elite. Wie abgefallene Blütenblätter sind sie von der Regierung in den vergangenen Monaten eingesammelt und in dem neuen experimentellen medizinischen Bereich untergebracht worden. Hier erwarten sie in wahnhafter Unwissenheit die Vervollkommnung eines Amnesie erzeugenden Prozesses, der schon seit Jahren entwickelt wird. Eines Tages werden die Bewohner der 27. Etage von dem Krieg erfahren, der eben jetzt beginnt. Noch später werden sie von einer verkrüppelten Geisteskrankheit hören, die vom ›Kompressionsfaktor‹ verursacht wurde. Man hofft, daß keines dieser beiden möglichen Traumen ihre Amnesie-Abschirmung durchbrechen kann. Man hofft, daß weder sie noch sonst jemand je erfahren wird, daß das eine die Rechtfertigung für das andere war.

*

Im Kommandozentrum ticken große Uhren die letzten sechzig Sekunden. Es herrscht erdrückende Stille.

Er starrt auf die riesige Statustafel. Sie leuchtet in sanftem Licht. Ein elektronischer Wachhund. Wartend.

Er zuckt vor Ungeduld. Los, los, nur nicht schüchtern. Kleidet euch prächtig. Von Honigtau wir durften nippen, getrunken ist die Milch vom Paradies. Er beugt sich erregt vor. Seine Augen trüben sich vor Leidenschaft.

»Los! Los!« schreit er. Irgendwo tief innen quietschen die Ratten begeisterte Zustimmung.

Gesichter drehen sich, eine Galerie der Überraschung. Er erkennt den Präsidenten, Bennett, Tabor. Sein wildes Grinsen grüßt ihre Verschwörung. Er wendet sich wieder der Tafel zu.

»Weiter mit der Vorstellung! Weiter mit der Vorstellung!«

Julia ergreift seine Hand; nicht, um ihn zurückzuhalten, nur gequält in der Trennung. Ihre Augen sind Sternhaufen gefrorener Tränen.

Die Tafel leuchtet auf. Zuerst an einer Stelle, dann an einer anderen, dann überall, so strahlt sie ihre kaleidoskopische Botschaft aus. Er lacht mit den Lichtern, plötzlich explodierend. Sein Gelächter brandet an die Stille wie ein dumpfer Trommelwirbel. Gestalten stürzen auf ihn zu; jemand packt seine Arme.

Die Ratten beginnen ihr wildes Fest. Das Gelächter löst sich in riesigen Schmerzwellen auf. Er beginnt zu schreien.

»Nein! Nein! Nein! Nein! Nein! Nein! Nein! Nein! Nein!«

Farbige Wolken wirbeln durch sein Gehirn. Er reißt sich los. Er stürmt an die riesige Tafel, und seine Fäuste hämmern auf die Lichter. Julia ist neben ihm. Ihr leiser Schrei vermischt sich mit dem zerschmetternden Quietschen der Ratten.

Er wankte auf das Gras des Hofraums hinaus. Ein Aufseher stand in der Nähe, aber er erlaubte ihm, die Beine auszustrecken und ohne Unterstützung vorsichtig weiterzugehen. Er blickte sich langsam nach Anerkennung um. Der Aufseher lächelte, und er spürte eine winzige Spur von Stolz.

Über den fernen Mauern spannte sich ein Sommerhimmel mit sanften, weißen Wölkchen. Er ging zu einer leeren Bank und setzte sich. Er hatte Angst, weil er nicht genau wußte, was man von ihm erwartete. Und doch fühlte er sich innerhalb der hochragenden Mauern sicher und geborgen. Hinter ihnen lag etwas Gefährliches. Er dachte nicht gern an die andere Seite der Mauer.

Er lauschte den Stimmen um sich her, und sie erfüllten ihn mit Hoffnung. Er war nicht allein. Er gehörte dazu.

Er schaute zur goldenen Sonne hinauf. Das Leben war gut.

ENDE

Bitte beachten Sie die folgenden Seiten. Der dort angegebene Preis entspricht dem Stand vom Frühjahr 1972 und kann sich nach wirtschaftlichen Notwendigkeiten ändern.

Goldmanns WELTRAUM Taschenbücher

Lloyd Biggle
Spiralen aus dem Dunkel
Utopisch-technischer Abenteuerroman
208 Seiten. Band 096. DM 3.–

In den USA landet ein mysteriöses Flugobjekt – wie aus dem Nichts ... Vom Landungsplatz breiten sich in großen Spiralen Bahnen der Vernichtung und Zerstörung aus. Woher kam dieses geheimnisvolle, tödliche Flugobjekt? Aus den Tiefen des Weltraums? Oder etwa aus der Zukunft?

Arthur C. Clarke
Die letzte Generation
Utopisch-technischer Roman
192 Seiten. Band 070. DM 3.–

Gigantische Raumschiffe schweben über den größten Städten der Erde. Wer sind die Besucher aus dem Weltall? Sie nennen sich die ›Overlords‹ und bestimmen das Schicksal der Erde. Im Auftrag einer kosmischen Macht entführen sie die Kinder, um sie auf einem fernen Planeten für eine Gemeinschaftsaufgabe vorzubereiten.

Richard Cowper
Phönix
Utopisch-technischer Abenteuerroman
160 Seiten. Band 099. DM 3.–

Können Menschen im Tiefschlaf Jahrhunderte überleben? Das Problem scheint für die Wissenschaft und Technik unserer Tage fast gelöst. – Der Roman berichtet von einem solchen Experiment. Nach einem todesähnlichen Schlaf im unterkühlten Zustand erwacht Bard Cecil in einer fremden, zukünftigen Welt voller Gefahren.

WILHELM GOLDMANN VERLAG MÜNCHEN

Goldmanns WELTRAUM Taschenbücher

Lloyd Biggle
Verbrechen in der Zukunft
Utopisch-technische Erzählungen
192 Seiten. Band 098. DM 3.–

Die Polizei hat ein Gerät erfunden, mit dessen Hilfe man auf einem Fernsehschirm Ereignisse beobachten kann, die erst in einigen Wochen stattfinden werden. Aber kann man die Zukunft, die man vorhergesehen hat, manipulieren?

D. F. Jones
Colossus
Technischer Zukunftsroman
176 Seiten. Band 094. DM 3.–

Colossus – diesen Namen gab Professor Charles Forbin dem riesigen Computer, den er in langjähriger Arbeit entwickelte. Seine Aufgabe: Die Verteidigung des amerikanischen Kontinents. Als der Super-Computer in Betrieb genommen wird, muß man feststellen, daß er sich nicht mehr abschalten läßt. Der Menschheit droht die Gefahr, von Colossus regiert zu werden ...

E. C. Tubb
Projekt Ming-Vase
Utopisch-technische Erzählungen
176 Seiten. Band 093. DM 3.–

Zehn Geschichten von morgen – in kühnem Gedankenflug entführen sie den Leser in eine ferne Zukunft, in die unendlichen Weiten des Universums. Eine Auswahl, in der die ganze Spannweite der Science Fiction aufgezeigt wird. Telepathie, Raumfahrt, Leben auf anderen Planeten, Abenteuer im Weltraum – das sind einige der Themen.

WILHELM GOLDMANN VERLAG MÜNCHEN

Goldmanns WELTRAUM Taschenbücher

Rex Gordon
Der Zeitfaktor
Technischer Zukunftsroman
192 Seiten. Band 069. DM 3.-

Amerikanische Wissenschaftler schicken eine Filmkamera mit einer Zeitmaschine hundert Jahre in die Zukunft. Doch die Aufnahmen aus jener Zeit vermitteln ein Bild des Schreckens. Die Erde ist durch einen Atomkrieg verwüstet. – Muß es tatsächlich so werden? Oder gibt es eine Möglichkeit, den Ablauf der Geschehnisse zu beeinflussen?

Damon Knight
Welt ohne Maschinen
Utopisch-technische Erzählungen
176 Seiten. Band 092. DM 3.-

Die Titelgeschichte führt den Leser in eine Zeit, wo alle Maschinen überflüssig geworden sind. Man hat einen höchst ungewöhnlichen Ersatz dafür gefunden. – Die beiden anderen Erzählungen befassen sich mit der ewigen Menschheitsfrage der Unsterblichkeit und der Freundschaftsmission eines Botschafters aus dem All.

Rick Raphael
Strahlen aus dem Wasser
Utopisch-technische Erzählungen
192 Seiten. Band 073. DM 3.-

Die Überbevölkerung der Erde und die Industrialisierung haben ein Ausmaß erreicht, das die menschliche Existenz gefährdet. Das Frischwasser reicht für die Erdbevölkerung nicht mehr aus! Werden die Fachleute der Zukunft noch rechtzeitig eine Möglichkeit finden, diese große Gefahr zu beseitigen?

WILHELM GOLDMANN VERLAG MÜNCHEN

Goldmanns WELTRAUM Taschenbücher

Pierre Boulle
Der Planet der Affen
Utopisch-technischer Roman
192 Seiten. Band 059. DM 3.–
Ein abenteuerlicher Gulliver namens Ulysse Mérou landet im Jahre 2502 mit seinem Raumschiff auf einem fernen Planeten und findet sich in einer getreuen Kopie der auf den Kopf gestellten Gesellschaft der Erde wieder. Die Menschen hausen als Wilde in den Wäldern; die Affen dagegen sind Träger der Zivilisation. Nach diesem Roman entstand einer der erfolgreichsten Filme der 20th Century Fox.

Leslie P. Davies
Der Mann aus der Zukunft
Utopisch-technischer Kriminalroman
176 Seiten. Band 090. DM 3.–
England im Jahre 2017. Das Land wird von einem allmächtigen Diktator beherrscht. Die Menschen leben in einem Polizeistaat, der ihnen jegliche persönliche Freiheit genommen hat.
Gegen diesen Zwang rebelliert eine Gruppe von Ärzten. Ein erbitterter Kampf um die Macht beginnt . . .

Raumfahrt wohin?
Der praktische Wert der Weltraumforschung
Herausgegeben von Eugen Sänger
192 Seiten. Band 061. DM 3.–
Aufgabe und Ziel amerikanischer Raumfahrtprojekte – Zweck und Sinn der Erforschung des Kosmos – Japans Hoffnung an der Schwelle eines neuen Zeitalters – Aspekte der unbemannten Raumfahrt – Hilfe für die Erde aus dem Kosmos?
Weltraumforscher aus acht Ländern schreiben über diese und ähnliche Themen.

WILHELM GOLDMANN VERLAG MÜNCHEN

Eric Allen
Der Leopard von Missouri

Freiheitskampf der Tscheroki-Indianer
160 Seiten. Band A 16. DM 3.–

Der große alte Mann, der Häuptling der Tscherokesen, ist todkrank – er kann sich nicht mehr für Recht und Freiheit einsetzen. Nur sein Sohn Smoke Blackbird weiß, daß passiver Widerstand den Untergang des Stammes bedeutet. Und Smoke führt einen einsamen Kampf ...

Geoffrey Jenkins
Die Diamantenquelle

Abenteuer an der Küste Südwest-Afrikas
192 Seiten. Band A 11. DM 3.–

Verbissen kämpft Fred Shelborne um die Schürfrechte im Sperrgebiet an der südwestafrikanischen Küste. Warum kommt die Besatzung des Diamantenschiffs ›Mazy Zed‹ ums Leben, als sie sich der Insel Mercury nähert? John Tregard ahnt das Geheimnis des Sperrgebiets, das Geheimnis Fred Shelbornes ...

H. A. De Rosso
Rache für Lancaster

Ein Western für Kenner
144 Seiten. Band A 12. DM 3.–

Die Stunde der Wahrheit war für den berühmten Revolverhelden Dan Harland gekommen, als ihn der junge Jim Lancaster herausforderte. Jim war schneller im Ziehen der Waffe, schonte aber den langsameren Gegner und ließ sich in selbstmörderischer Absicht erschießen. Harland beschließt das Rätsel dieses Selbstmordes zu klären.

WILHELM GOLDMANN VERLAG MÜNCHEN

Verehrter Leser,

senden Sie bitte diese Karte ausgefüllt an den Verlag. Sie erhalten kostenlos unsere Verlagsverzeichnisse zugestellt.

WILHELM GOLDMANN VERLAG 8 MÜNCHEN 80

Bitte hier abschneiden

Diese Karte entnahm ich dem Buch

Kritik + Anregungen

Ich wünsche die kostenlose und unverbindliche Zusendung des Verlagskataloges und laufende Unterrichtung über die Neuerscheinungen des Wilhelm Goldmann Verlages.

Name

Beruf   Ort

Straße

Ich empfehle, den Katalog auch an die nachstehende Adresse zu senden:

Name

Beruf   Ort

Straße

Goldmann-Bücher erhalten Sie in allen Buchhandlungen, in vielen Kaufhäusern und an den meisten Bahnhofskiosken überall in der Welt, wo deutsche Bücher verkauft werden.